AF607417

Primera edición, noviembre de 2019
© West Indies Publishing Company, 2019
info@westindies.eu

Corrección y maquetación: Colectivo Fut i makak
Ilustración de portada: Víctor Barba

ISBN: 978-9949-7288-7-9
Impreso en Gráficas La Paz
Impreso en España – Printed in Spain

Erich Rose: el trágico destino de un oficial «judío» en la División Azul

CARLOS CABALLERO JURADO

West Indies
Publishing Company

Y al fin, el último parte, conciso y lacónico,
resumía todo el heroismo y toda la grandeza
de quienes nunca se rindieron:
*«Agotada totalmente la munición
intentamos una salida siguiendo
el talud de la vía. Teniente Rosse»*

D. Castro Vilacañas
Voluntario de la División Azul

PRÓLOGO

Durante la preparación de un escrito sobre la batalla de Krasny Bor ([1]), librada por la División Azul española en los arrabales de Leningrado el 10 de febrero de 1943, me propuse –entre otros objetivos- dar a conocer al público, de la manera más precisa posible, la suerte corrida por los oficiales de las unidades implicadas, ofreciendo tanto el listado de los mandos de esas unidades como información sobre los oficiales condecorados y/o que causaron baja. Evaluar lo ocurrido con la oficialidad de cada unidad permitía analizar muy aproximadamente la suerte corrida por sus unidades.

Sin embargo, había un caso muy difícil de concretar, el de un teniente llamado Erich Rose Rose (al que, para empezar, a veces se le citaba como Rosse Rosse, por las razones que más adelante se verán). Por ejemplo, en el "Parte correspondiente a los combates sostenidos el día 10 de febrero de 1943 en el sector del Regimiento de Granaderos 262" ([2]) y que incluye una relación nominal de bajas entre la oficialidad, el Teniente Rose (citado como Rosse) figura como "Desaparecido". Ese mismo listado da también como "Desaparecidos" a otros oficiales de los que, sin embargo, años más tarde se supo que habían caído prisioneros. No fue este el caso

1 "*Morir en Rusia. La División Azul en la Batalla de Krasny Bor*" Cuadernos de Revista Española de Historia Militar, nº 7, Valladolid 2004.

2 Copia facilitada por la Fundación División Azul (FDA). El parte, de 10 págs., no expresa fecha de redacción y está firmado por el general Esteban-Infantes.

de Rose, cuya pista se pierde completa y definitivamente aquel aciago 10 de Febrero de 1943.

Otro documento, la "Relación nominal de personal de Jefes, Oficiales, Suboficiales y Tropa que se citan como Distinguidos en los combates del 10 de Febrero de 1943 en el sector de Krasnij Bor" ([3]), en cambio, incluye a Rose (de nuevo como Rosse) como caído gloriosamente en combate, y su actuación durante la batalla es calificada explícitamente como "Muy Distinguida".

Como el caso era desconcertante, se imponía la inevitable consulta a un veterano de la División Azul que era, a la vez, el más meticuloso de sus documentalistas: César Ibáñez, una persona que dedicó décadas de su vida a analizar la documentación referida a la unidad en que sirvió. Este investigador, además de otros empeños, llevaba entre manos desde hacía años la confección de un listado que incluyera toda la información disponible sobre la oficialidad de la División Azul (¡algo que nunca ha realizado el Ministerio de Defensa, ni el Instituto de Historia y Cultura Militar!)

Para ello, debió consultar miles de documentos y recoger otros tantos testimonios orales. Así que César

---

3 Copia facilitada igualmente por la FDA. El documento tampoco lleva fecha y se compone de 29 págs. Los relacionados aparecen catalogados en tres categorías: "Valor Heroico", "Muy Distinguidos" y "Distinguidos". Esta catalogación es, de hecho, una sugerencia de propuesta de condecoraciones. Las actitudes calificadas como "Valor Heroico" pueden merecer una Cruz Laureada de San Fernando, y las clasificadas como "Muy distinguida" presuponen la posibilidad de otorgar una Medalla Militar Individual. La Laureada de San Fernando (LSF) y la Medalla Militar Individual (MMI) son las dos condecoraciones más prestigiosas del Ejército español. Ahora bien, solo son concedidas tras juicio contradictorio y como resultado de un expediente que puede dilatarse, literalmente, durante décadas.

era un auténtico archivo vivo. Y a mis preguntas sobre el teniente Rose respondió con dos informaciones fundamentales y desconcertantes. La primera, que el teniente Erich Rose Rose no era, como yo venía suponiendo, un oficial español de origen alemán. Se basaba mi suposición en que toda la oficialidad de la División era española y los casos de nombres con uno, o incluso dos apellidos, de origen germánico detectados entre divisionarios corresponden siempre a personas procedentes de familias alemanas o austriacas naturalizadas como españolas, o bien nacionalizados ellos mismos debido —por ejemplo— a su matrimonio con una española.

El personal alemán que estaba presente en las unidades españolas no formaba parte orgánicamente de la División, sino de la Plana Mayor de Enlace alemana ("*Deutsche Verbindungstab*"). El caso de Rose era, por tanto, de lo más singular, ya que siendo alemán no formaba parte de esa Plana Mayor, sino de la misma División Azul. Y la segunda información ofrecida por César Ibáñez era aún más explosiva: durante sus trabajos de recopilación de datos le habían llegado rumores de que el teniente Rose estaba de hecho muy mal visto entre el personal de la "*Deutsche Verbindungstab*"... porque era judío. El tema tomaba así unas dimensiones enteramente nuevas y altamente intrigantes.

A esas alturas, el teniente Erich Rose Rose no era un desconocido para los historiadores militares españoles. José Luis de Mesa Gutiérrez ya había escrito sobre él en su libro "Los otros internacionales. Voluntarios extranjeros desconocidos en el Bando Nacional durante la Guerra Civil (1936-1939)", para informarnos de su paso por las Academias de Alféreces Provisionales y por la Legión

Española ([4]). Más recientemente, Lucas Molina Franco y José Mª Manrique García, en su obra "Los hombres de von Thoma. El Ejército alemán en la Guerra de España (1936-1939)", escribieron también sobre él para narrar su llegada a España como miembro de la Legión Cóndor, su servicio como instructor en varias Academias militares españolas y su paso final a la Legión Española ([5]). Consultados los autores de ambos libros, ninguno de ellos tenía la más mínima noticia de la ascendencia judía del personaje.

Realicé una nueva consulta, en este caso al antiguo suboficial de la Guardia Civil Francisco Grau Pérez, quien sirvió en Rusia en el Cuartel General de la División Azul. En efecto, él conoció a Rose, a quien recordaba con un aspecto "muy alemán" (tez clara y pelo rubio), aunque de estatura algo inferior a la habitual en otros oficiales alemanes que conoció. Me contó que en el Cuartel General español todos le llamaban "Enrique" en vez de Erich, y que se sabía que en nuestra Guerra Civil había servido en la Legión Española. Pero tampoco él tenía noticia alguna del origen judío del personaje. Otro investigador especializado en temas de la División Azul, Jesús Dolado Esteban, me hizo saber que Erich Rose había sido buen amigo de un oficial español, Jaime Ripoll Lecuona, ya fallecido, pero a cuyo archivo personal tenía acceso. En dicho Archivo encontró fotos de Rose, pero ningún papel referido a él.

Así que, en definitiva, no pude verificar el supuesto origen hebreo del personaje. Para salir de dudas decidí buscar la obra de un historiador norteamericano,

---

4 Editorial Barbarroja, Madrid 1998. Cfr. pág. 148.

5 Quirón Ediciones, Valladolid 2003, Cfr. págs. 153, 165 y 167-168.

Bryan Mark Rigg, que sabía había aparecido hacía algún tiempo, y que estaba consagrada al tema de los soldados de ascendencia judía que sirvieron en la "*Wehrmacht*" durante la II Guerra Mundial. Por suerte para mí, la obra acababa de ser traducida al francés, así que fue fácil localizarla. Y, en efecto, la lectura de "*La Tragédie des soldats juifs d'Hitler*" me confirmó que Rose era de ascendencia judía ([6]). Pero como la información ofrecida por Rigg era limitada, contacté personalmente con él, para ver sí disponía de más datos sobre Rose. Me contestó negativamente, pero con gran amabilidad me puso en contacto con sus fuentes, el general alemán Albert Schnez y la historiadora de la misma nacionalidad Susanne Meinl.

El primero contestó rápidamente a mi carta, con una misiva tan emotiva como rica en datos (que después amplió en entrevista telefónica) y me mandó fotocopia del testamento de Rose. Schnez había sido amigo personal y compañero de Academia Militar de Rose y aún hoy, tantísimos años más tarde, el trágico destino de su amigo le conmovía profundamente. La Doctora Meinl no fue menos amable. Es una investigadora del "*Fritz Bauer Institut*", organismo alemán dedicado a estudios sobre el Holocausto y ella se ha especializado, entre otros temas, en el caso de los oficiales de origen judío que servían en el Ejército alemán y se vieron obligados a abandonarlo al llegar Hitler al poder.

La Dra. Meinl tenía fresco el caso porque había escrito recientemente una reseña biográfica sobre Rose

6 Editions de Fallois, París 2003. Cfr. págs. 289-290 y 351. Aunque siempre que haga una referencia a esta obra, lo hare en base a la edición francesa que poseo, existe traducción también al español: La tragedia de los soldados judíos de Hitler, Inédita Editores S.L., Barcelona, 2009.

para el catálogo de una exposición auspiciada por el "*Fritz Bauer Institut*" y realizada en colaboración con Cajas de Ahorro alemanas ([7]). Pero la Dra. Meinl no poseía información adicional a la contenida en su artículo y, de hecho, me decía en el correo que intercambiamos, que desde hacía años esperaba que alguien desde España le ofreciera más información sobre "*el Rose español*", por decirlo con sus palabras. Cabe suponer, por tanto, que los archivos alemanes tengan poco más que ofrecer sobre el teniente Rose.

Había llegado el momento de buscar en los archivos españoles. Lucas Molina me ofreció inmediatamente la documentación que sobre Rose había encontrado en el Archivo General Militar de Ávila (AGMAV), procedente de los fondos del Cuartel General del Generalísimo (CGG) y más concretamente de la 1ª Sección (Personal) del Estado Mayor del citado CGG. Por su parte, el AGMAV me facilitó la copia de los documentos que sobre Rose allí existen, procedentes de los fondos de la División Azul depositados en dicho Archivo. Con idéntica amabilidad, y desde Almería, la Brigada Legionaria me remitió copia del expediente del Legionario Erich Rose Rose, que se conserva en los Archivos de la Legión Española. Y la FDA, a la documentación que ya había tenido la generosidad de facilitarme, añadió copia de los documentos en su poder donde constaba que Rose había sido condecorado con la Cruz de Hierro, sirviendo en la División Azul española.

---

7 "*Legalisierter Raub. Der Fiskus und die Ausplünderung der Juden in Hessen, 1933-1945*" (El robo legalizado. El Fisco y el pillaje de los judíos de Hesse). Editado conjuntamente por la Sparkassen-Kulturstiftung Hesse-Thuringen y el Fritz Bauer Instititut. Para el texto sobre Rose ("*Hitlers jüdischer Soldat: Das Testament des Erich Rose*"), Cfr págs.29-32.

Este conjunto de documentos y testimonios, más la bibliografía a la que tengo acceso, es lo que me ha permitido dibujar un perfil biográfico, aunque incompleto, de este singular oficial alemán, de ascendencia judía, que durante nuestra Guerra Civil sirvió en la Legión Cóndor y la Legión Española, para combatir después en la Campaña de Rusia como miembro de la División Azul hasta su muerte en combate.

Capítulo 1
Un tal Rose

Erich Jakob Rose nació el 7 de septiembre de 1912 en Estrasburgo (Alsacia), siendo hijo de Siegbert Emil Rose y de su esposa Franziska Julie, cuyo apellido de soltera era también Rose. Por ello, cuando fue filiado en los documentos españoles, sus apellidos eran Rose Rose. Estrasburgo formaba parte a la sazón del II Reich, pues Alsacia y Lorena habían sido anexionadas por Alemania tras su victoria en la Guerra Franco-Prusiana de 1870. El padre de Rose era uno de los oficiales de la guarnición, ya que era "*Stabsarzt*" (capitán médico) en el Regimiento de Infantería 132º. La Dra. Meinl me informó que Rose pasó sus primeros años entre Estrasburgo y Berlín, trasladándose en 1920 la familia a Darmstadt, donde el padre entró a trabajar como médico para la Administración Civil. Podemos suponer, aunque no estoy en condiciones de asegurarlo, que el padre tomó parte en la I Guerra Mundial y abandonó el Ejército debido a las drásticas reducciones de plantilla que supuso pasar del gigantesco Ejercito Imperial a la diminuta "*Reichswehr*" impuesta a Alemania por el Tratado de Versalles. Lo que sí se puede asegurar es que al pasar a la situación de retirado del Ejército, su graduación era la de "*Oberstabsarzt*" (comandante médico).

La familia Rose parece haber sido una familia acomodada y con un más que notable interés por la cultura, como acreditan su bien provista biblioteca y una pequeña colección de arte, cuyo contenido nos consta por la documentación relativa a la expropiación de sus bienes (analizada por la Dra. Meinl). Como hijo único que fue de una pareja de padres de avanzada edad y buena posición social y cultural, cabría imaginar que al joven Rose se le criara "entre algodones", alejándolo del peligro y los rigores. Pero no fue así. Sabemos que el joven Erich fue un miembro activo de las organizaciones juveniles nacionalistas alemanas y, como tantos jóvenes de su generación, se forjó al aire libre y en la vida comunitaria de marchas y campamentos. Las ideas de las que se impregnó en estos ambientes juveniles eran, por otra parte, las mismas que se vivían en su hogar. El general Schnez y la Dra. Meinl coinciden plenamente en afirmar que el joven Erich compartía los valores e ideales políticos de su padre, calificándolos como "de derecha", "conservadores" y "nacionalistas". Más explícito, el general Schnez me decía en su carta que los Rose, tanto el padre como el hijo, consideraban que "*el comunismo y el bolchevismo eran el enemigo número uno del mundo*". Por otra parte, el joven Erich no manifestó nunca otro sueño profesional que el de ser oficial del Ejército, como lo había sido su padre, para combatir como soldado de su país, contra la que sentía como la mayor humillación impuesta a Alemania: el "*Diktat*" de Versalles.

Conviene recordar, siquiera brevemente, la convulsa situación que atravesó Alemania a partir de su derrota en 1918. Al trauma de la derrota en sí misma se añadió la conmoción de los intentos de revolución comunista, los conatos separatistas en Baviera y Renania, las pérdidas territoriales a manos de los vecinos (Polonia, Dinamarca, Francia...), la crisis económica, una notable inestabilidad política, etc., todo ello envuelto en la humillación que había supuesto Versalles, doblada en sus funestas consecuencias económicas (pago de reparaciones, etc.)

Una parte muy importante de la población se había radicalizado hacia la izquierda (socialdemócratas y comunistas), pero otra parte no menos importante se radicalizó hacia la derecha, hacia posiciones nacionalistas y autoritarias. Cuando el país parecía querer empezar a enderezar su rumbo, una nueva sacudida, esta vez como consecuencia de la crisis económica de 1929, colapsó otra vez la situación política, social y económica, dando alas a los movimientos radicales de un signo u otro. La familia Rose, que en condiciones normales se hubiera limitado a mantenerse dentro de posiciones conservadoras "clásicas", parece que en este contexto convulso también se radicalizó y, según el general Schnez, los Rose, tanto el padre como el hijo: "*tuvieron al principio una clara simpatía por el nacionalsocialismo con excepción, claro está, del antisemitismo de este partido y del extremismo de alguno de sus militantes*".

Pero Erich Rose estaba interesado en lo político solo marginalmente. Su vocación, ya se ha dicho, era el Ejército. El 1 de abril de 1930 sentó plaza en el "*Infanterie Regiment 13*", como "*Offiziersanwärter*" (Aspirante a Oficial) junto con quien iba a ser su compañero y amigo, Albert Schnez. Inicialmente estuvieron acantonados en Schwäbisch Gmünd, pasando después a Ludwigsburg. El 1 de octubre de 1931, los dos compañeros y ya amigos, Schnez y Rose, dieron un paso más en su carrera militar. Tras haber servido como soldados el periodo preceptivo, pasaron, ya con el rango de suboficiales y con el título de cadetes ("*Fahnenjunker Unteroffizier*"), a la Academia de Infantería ("*Infanterie Schule*") de Dresde. Al cabo de un año y cumpliendo órdenes, que acató aún cuando iban contra sus más íntimos deseos de ser oficial de Infantería, Rose fue trasferido al Arma de Ingenieros y durante otro curso siguió las enseñanzas impartidas en la

"*Pionnier Schule*" de Munich, ahora con la categoría de Alférez Cadete ("*Fähnrich*"). Finalmente, el 1 de octubre de 1933, Erich Rose recibió su nombramiento de Alférez ("*Leutnant*") y fue destinado al Batallón de Zapadores nº 5 ("*Pionnier Btl. 5*") en Ulm.

Para entonces, Hitler ya estaba en el poder, desde hacía varios meses. Por vez primera en la historia de la Europa contemporánea, un partido que hacía del racismo y el antisemitismo el centro de su programa estaba en el poder.

Capítulo 2
El antisemitismo en Europa

El antisemitismo tiene una amplia y profunda raigambre en la tradición cultural europea, en la medida en que esta se ha forjado en torno al cristianismo. Toda construcción identitaria exige la existencia de un "Otro" al que ver como enemigo, y en el mundo cristiano ese "Otro" fue el Islam en algunos momentos, pero en general fue el Judaísmo el que encarnó el papel de contramodelo, y de ahí la ya señalada veta antijudía en el mundo cristiano.

Solo con las Revoluciones liberales frutos de la Ilustración empezó a producirse la llamada emancipación, es decir, la abolición de las restricciones legales que impedían a los judíos la inserción normal en las sociedades que les acogían. Fue un proceso lento, complicado, lleno de altibajos. Por un lado, afectaba a los elementos mayoritarios de las sociedades que los acogían, que seguían vinculados al cristianismo en sus diferentes versiones, pese a los avances de la laicización, y que seguían teniendo por tanto prejuicios antijudíos más o menos fuertes. Por otro lado, afectaba también a las comunidades israelitas en la medida en que los judíos "emancipados" tendían a distanciarse de la comunidad hebrea, bien relegando la religión a la esfera de lo puramente privado, bien convirtiéndose a la fe mayoritaria de las sociedades de acogida, bien abandonado pura y simplemente la práctica religiosa. Las comunidades judías, que habían conservado durante siglos su cohesión —en gran medida debido a que vivían en un ambiente hostil— empezaron a diluirse en el seno de las comunidades de ciudadanos, no necesariamente creyentes, que caracterizaban a los modernos Estados Nacionales europeos. Ello provocó, en muchos casos, una reacción tendente a reforzar la identidad judía, bien regresando a la ortodoxia religiosa más estricta, bien mediante la articulación de un programa nacionalista judío tendente a crear un Estado de Israel ([8]). En resumen, la fusión de las comunidades israelitas con las sociedades de acogida no fue un proceso simple y fácil.

Por otra parte, los procesos de modernización en todas sus facetas (decadencia de grupos sociales enteros y emergencia de otros nuevos, procesos de urbanización e industrialización, uniformización de las identidades culturales en el seno de los Estados "Nacionales", etc.) provocaron múltiples y variadas tensiones. Y, en ese contexto, el viejo antijudaísmo, en su función de chivo expiatorio recibió un nuevo impulso, pues a menudo se señaló a los judíos como germen de todas aquellas turbulencias que estaban acompañando el nacimiento de un nuevo mundo.

En el caso de Alemania, la comunidad israelita se insertó aceptablemente bien en el conjunto de la sociedad alemana. De Lange escribe:

> En 1871, cuando la Constitución Imperial Alemana incorporó el principio de libertad religiosa

8 Un análisis global de estos fenómenos se encuentra en la obra de Víctor Karady, "*Los judíos en la modernidad europea*", Siglo XXI de España Editores, Madrid 2002. Una exposición más sintética, en la obra de Nicholas de Lange, "*Atlas Cultural del Pueblo Judío*", Editorial Óptima, Barcelona 2000.

> para todos, solo se mantuvieron apartados (de la tendencia a la igualdad religiosa N.d.A.) Suiza, Noruega, España y Portugal. Europa Oriental era una cuestión aparte (...) En algunas ciudades alemanas de principios del XIX probablemente aceptaron el cristianismo la mitad de los ciudadanos judíos (...) Ya antes de la Primera Guerra Mundial, un sociólogo alemán había advertido que el descenso de la natalidad y los matrimonios mixtos llevarían, con el tiempo, a la desaparición de la judería alemana, que solo se mantenía gracias a la inmigración ([9]).

Por su parte, B. M. Rigg ha documentado exhaustivamente cómo esa progresiva integración de los judíos en la sociedad alemana había tenido el correlato inevitable de su presencia creciente en el seno del Ejército. Por ejemplo, durante la I Guerra Mundial, unos 100.000 judíos alemanes sirvieron en el Ejército del Kaiser, 12.000 cayeron en combate y 30.000 fueron condecorados. En el caso del Imperio Austro-Húngaro, y también para la I Guerra Mundial, el número de militares judíos en sus filas ascendió a 300.000 y de ellos 25.000 cayeron en combate ([10]). En este último caso, conviene recordar que los judíos de la Doble Monarquía, independientemente de la región en que vivieran de aquel multinacional y pluriconfesional Imperio, se habían asimilado a la cultura germana, expresándose fundamentalmente en alemán, en vez de en los idiomas de sus zonas de asentamiento (húngaro, rumano, etc.) cosa nada sorprendente ya que

---

9 De Lange, Op. Cit., Cfr. págs. 57, 58 y 68-69.

10 Rigg, Op. Cit., Cfr. págs. 108 y 110.

el idioma hablado por esos judíos en su ámbito familiar no era otro que el *yiddisch* (una dialecto del alemán, que como el ladino de los sefarditas con respecto al castellano, se caracteriza por su arcaísmo).

Y, sin embargo, pese a la evidencia de que los judíos súbditos de Alemania y Austria-Hungría se habían comportado con absoluta fidelidad, el cataclismo de la I Guerra Mundial haría rebrotar con una fuerza inesperada las pulsiones antisemitas. De hecho, esto ocurrió en todos los países derrotados. En Rusia, la revolución bolchevique de 1917 fue vista por sus enemigos no como la consecuencia de la ineficacia de un régimen anquilosado y corrupto, sino como el fruto de una conspiración judía. Es cierto que los judíos estaban sobrerrepresentados en la militancia y el liderazgo bolchevique en relación con el porcentaje de población judía del Imperio zarista, pero no es menos cierto que lo mismo ocurría con los letones o los georgianos, también proporcionalmente con mucha más presencia en las filas bolcheviques que la de los propios rusos y, sin embargo, nadie habló de una conspiración letona o una conspiración georgiana.

También Alemania experimentó la amargura de la derrota y la experimentó en una forma más aguda que Rusia, pues la catástrofe de 1918 no se produjo en el marco de una progresiva decadencia como la que venía experimentando Rusia, sino que truncó una marcha ascendente, a la que Alemania se había lanzado en el último tercio del XIX, que parecía imparable. Además, a diferencia de la Rusia de 1917, cuyo Ejército estaba triturado y que tenía amplias porciones de su territorio invadidas por tropas extranjeras, la Alemania de 1918 veía aún más incomprensible su derrota, pues en los días anteriores al fin de las hostilidades su solar patrio estaba totalmente libre de tropas extranjeras, mientras que los soldados alemanes acampaban sobre suelo de las naciones enemigas. En Alemania, aún más que en Rusia, era tentador atribuir la derrota a una conspiración. Así ocurrió y un alto porcentaje de alemanes acabó explicando la derrota en base a una teoría conspiracional: la puñalada por la espalda asestada a su Ejército.

Los argumentos conspiracionales tienen un profundo arraigo en la mente humana. Es frecuente que, ante un contratiempo más o menos grave, los seres humanos, (individualmente o en conjuntos), en vez de buscar las razones de aquel, se afanen pura y simplemente por encontrar alguien sobre quien hacer recaer la culpa. En Alemania, como en muchos otros países europeos, se proyectó el hecho de que en el Reich, al igual que antes había ocurrido en Rusia, parte de los personajes que protagonizaron los sucesos revolucionarios que provocaron el fin del II Imperio eran de ascendencia judía. De ahí a afirmar que Alemania había sido derrotada por una conspiración judía solo había un paso, que muchos dieron. Esta explicación tenía la ventaja de no culpabilizar a ningún sector de la nación alemana de la derrota (el cuerpo de oficiales era el objetivo predilecto de la crítica de las izquierdas, mientras que los partidos y sindicatos obreros lo eran para las derechas), permitiendo así la reconciliación nacional y proyectando la culpabilidad contra un grupo étnico al que se señalaba como alógeno. En esto Alemania no era una excepción, ni un caso singular. La Francia derrotada en 1870 también tuvo sus episodios antisemitas, como fue el Caso Dreyfus.

Por otra parte, en la historia del pensamiento occidental se había producido un suceso fundamental: la implantación del pensamiento científico como argumento decisivo. Durante los largos siglos de hegemonía del pensamiento teológico, los judíos fueron vistos bajo esa óptica, la religiosa, y un judío convertido al cristianismo dejaba de ser un problema. Pero, como ha señalado la germanista española Rosa Sala Rose, "*desde la Ilustración la verdad había dejado de basarse en la religión o en la filosofía: se tendía cada vez más a entreverla en la sombra supuestamente objetiva de la ciencia*" ([11]). Y pocas ciencias habían avanzado tanto como la Biología, bajo el impulso de sabios de la talla de Mendel, Darwin, o Linneo. Se impuso la idea de que las razas no eran agrupaciones culturales, sino entidades biológicas, y que la vida no era otra cosa que una lucha entre especies para que sobrevivieran las más aptas, y de ella se sacaron alarmantes conclusiones. El dualismo judío – cristiano, que se solucionaba mediante la conversión, se convirtió en la irreconciliable dicotomía entre lo ario y lo judío, que era irresoluble en la medida en que ambas razas tenían una personalidad fijada genéticamente y era inalterable. La lucha entre lo ario y lo judío era interpretada como una faceta más de la *struggle for life* darwiniana y se suponía que debía terminar con el triunfo de uno de esos dos elementos.

Debemos recordar que aunque hoy en día los científicos consideran manifiestamente absurdo hablar de una raza alemana, una raza española o una raza judía, a principios del pasado siglo XX la idea de la existencia de las razas era una creencia respetable y plenamente aceptada; los nazis no eran los únicos que veían la historia en clave racial. Como señala Sala ([12]):

---

11 Rosa Sola Rose, "*Diccionario crítico de mitos y símbolos del nazismo*". Ediciones El Acantilado, Barcelona 2003. Cfr. pág. 29.

12 Idem, cfr. Pág. 54-55.

> Hacia 1860, gracias a los libros y conferencias del indólogo Max Müller en el ámbito alemán y anglosajón, y de Ernst Renan en el ámbito francés, el mito ario ya estaba firmemente establecido en los círculos ilustrados de toda Europa, con su lección implícita de que los judíos tenían un origen distinto al de la mayor parte de los pueblos indoeuropeos. Pronto esta tesis se convertiría en un axioma indiscutible.

De hecho, la obsesión de los nazis por mantener pura la raza germánica recuerda, como un sorprendente eco, la obsesión por la pureza racial de ciertos sectores de la religión judía. Según nos recuerda en su libro B. M. Rigg, la ley ortodoxa judía solo reconoce como judíos a los nacidos de madre judía (y a los conversos al judaísmo de la debida forma y manera), con la explícita afirmación de que quien nace judío permanecerá judío hasta su muerte, independientemente de que se mantenga dentro de la religión mosaica o no. La única diferencia entre esta clasificación y la establecida por los nazis era que estos atribuyeron también a los varones la capacidad para trasmitir la cualidad de ser judío. Pero unos y otros consideraban por igual que quien nace judío, permanece judío.

La realidad es que, por mucho que se empeñaran los nazis y los judíos ultraortodoxos, no existe una raza judía. Es judío quien se mantiene fiel a esa religión o, al menos, a los rasgos generales de la cultura de ella derivada. Pero de esa fidelidad religiosa y/o cultural no deben sacarse necesariamente otras conclusiones. La mayor parte de los alemanes de fe judía de principios del siglo XX entendían que no había contradicción alguna entre ser judío y ser alemán, de la misma manera que no la había entre ser católico, luterano o calvinista, y ser alemán. Por su parte, los alemanes de ascendencia judía que habían abandonado la fe mosaica para convertirse al cristianismo en cualquiera de sus variantes o renunciar a la vida religiosa, eran especialmente numerosos. Y a ellos había que añadir una ingente cantidad de descendientes de matrimonios mixtos. Como a ojos de los rabinos ortodoxos estos matrimonios eran totalmente condenables, y a quienes los realizaban se les excluía de la comunidad religiosa, las familias en estas circunstancias solían educar a sus hijos en la completa ignorancia de los orígenes religiosos del contrayente de ascendencia hebrea. Una gran cantidad de ellos se enteraron de que tenían ascendientes judíos cuando el régimen nazi empezó a dictar medidas discriminatorias contra los ciudadanos de fe judía, pero también contra quienes habían abandonado esa fe y contra los descendientes de matrimonios mixtos, los *mischlinge* (mestizos).

La judería alemana recibió la llegada de Hitler al poder dividida en sus opiniones. Quienes militaban o simpatizaban con la izquierda, obviamente lo consideraron una catástrofe. Pero un gran número de judeo-alemanes, simpatizantes de la derecha o bien abiertamente anticomunistas y nacionalistas, no recibió con tanto recelo la llegada de Hitler al poder. Los incidentes que habían enfrentado a activistas nazis con judíos habían tenido como protagonistas a *ostjuden* (judíos orientales), inmigrantes recién llegados de algún gueto del este de Europa y poco o nada germanizados, o a judíos de abierta militancia izquierdista. Pero se pensaba que el antisemitismo nazi no era más que un recurso propagandístico, que no se traduciría en nada concreto una vez los nazis fueran llamados a ejercer las responsabilidades del poder.

Sin embargo, en la excitación de los días siguientes a la conquista del poder, febrero y marzo de 1933, se produjeron excesos contra ciudadanos judíos y se abrieron campos de concentración para enemigos políticos, en los que, como ha señalado Ernst Nolte:

> en algunos campos se formaron las llamadas "compañías de judíos", sometidas a un régimen de especial dureza. También en su caso, indudablemente, se trataba de adversarios políticos y ningún judío ingresó, al parecer, por el simple hecho de serlo, pero después de su detención eran señalados como judíos y recibían un trato distinto de los demás. De esta manera, se inició la transición hacia el castigo por el hecho de ser, no por el de actuar ([13]).

Estos sucesos dieron pie a una amplia campaña antinazi en el extranjero protagonizada por organizaciones judías, claro está, pero con el significativo apoyo de ciertas fuerzas políticas. En Estados Unidos, Gran Bretaña o Francia se veía con gran recelo el triunfo de Hitler, enemigo declarado del orden internacional impuesto en Versalles. Por su parte, los antifascistas no iban a dejar pasar la posibilidad de denunciar a uno de sus más caracterizados enemigos políticos, pues acababa de hacerse con el poder dejando fuera de juego a los dos partidos de izquierda más potentes de Europa: el

---

13 Ernst Nolte, "*La Guerra Civil Europea, 1917 1945. Nacionalsocialismo y bolchevismo*". Editorial FCE, México 1994; Cfr pág. 44.

KPD (Partido Comunista alemán) y el SPD (Partido Socialdemócrata alemán).

Esta campaña antinazi fue muy virulenta a lo largo de marzo de 1933 e incluyó manifestaciones de masas, como la celebrada en Nueva York el 23 de dicho mes. Pero lo más significativo quizás fueran los artículos periodísticos. El *Herald Tribune* proclamó que era inminente el asesinato en masa de los judíos alemanes, mientras que el *Daily Herald* definía a los alemanes como asesinos de judíos ([14]). El 24 de marzo de 1933 se alcanzó el clímax cuando el londinense *Daily Express* tituló a toda plana: "Judea declara la guerra a Alemania", para dar a conocer la noticia de que organizaciones judías internacionales convocaban a un boicot contra los productos alemanes.

La campaña molestó sobremanera en Alemania, donde estaba muy presente el recuerdo de las campañas de propaganda antialemana de la I Guerra Mundial, en las que se había llegado a decir que los soldados alemanes se comían a los niños belgas. Por eso fueron los mismos judíos alemanes los que salieron en respuesta a esta campaña y el 15 de mayo de 1933 se publicaba en Berlín, y a cargo de la editorial del judeo-alemán Jakow Trachtenberg, un folleto titulado *Die Greuelpropaganda ist eine Lügenpropaganda, sagen die deutschen Juden selbst* (La propaganda de atrocidades es propaganda de mentiras, dicen los mismos judíos alemanes). Según resume Nolte:

> En él se reúne una serie de declaraciones hechas por organizaciones y personajes judíos alemanes

14 Idem, pág 45.

contra la "propaganda difamatoria" del exterior. La mayoría está redactada con cautela, como era de esperar en vista de la presión ejercida por los nacionalsocialistas; hablan de "malos tratos", "excesos" y "abusos", pero desmienten la noticia de auténticas atrocidades. En algunos casos salta a la vista la posición nacionalista alemana y burguesa que caracterizaba precisamente a las organizaciones judías más grandes y a algunos de sus hombres más importantes. La Liga de Veteranos Judíos del Reich, por ejemplo, se expresa decididamente contra "la imperdonable campaña difamatoria (...) promovida contra Alemania por supuestos intelectuales judíos en el extranjero". El presidente honorario de la Unión de Judíos Alemanes Nacionalistas, Max Naumann, consideraba la propaganda difamatoria como "solo una nueva variante de la propaganda de guerra dirigida contra Alemania y sus aliados de antaño". El presidente de la Asociación Alemana de Rabinos, Leo Baeck, declara que los principales puntos del programa de la Revolución Nacional alemana –vencer al bolchevismo y renovar a Alemania- también eran objetivos perseguidos por los judíos alemanes, que a ningún país de Europa estaban ligados en forma tan profunda y viva como a Alemania. En su introducción, el propio Trachtenberg comenta que la difamación a causa de las supuestas atrocidades cometidas en Alemania conllevaba el peligro de provocar, con el tiempo, auténticas atrocidades, porque los autores sin escrúpulos de la campaña de

> mentiras evidentemente querían "desencadenar una nueva guerra". Si los nacionalsocialistas o hubieran sido más que nacionalistas alemanes no simples anticomunistas, hubieran podido entenderse fácilmente con la gran parte de los judíos alemanes ([15]).

Pero los nazis, que partían de una visión supuestamente científica del problema judío, en vez de prestar atención a las elocuentes declaraciones de los líderes de la comunidad judía alemana, consideraron que la campaña internacional era otra prueba más de la irresoluble oposición entre arianidad y judaísmo. Y, de acuerdo con sus ideas preconcebidas, obraron en consecuencia. A lo largo de abril de 1933 se lanzó un boicot contra todo tipo de establecimientos de judíos alemanes (tiendas, bufetes de abogados, consultas médicas, etc.), y pocos días después, el 7 de abril, se dictaba una *Ley para el restablecimiento del funcionariado público*, que incluía el llamado *Arierparagraph* (Parágrafo Ario), que obligaba a la separación de la Función Pública de los judíos, pero también de los *mischlinge* que fueran judíos al 50 por cien (con un progenitor judío) e incluso al 25 por cien (con un abuelo judío). Por vez primera quedaba fijada la base de toda la política racista nazi, que partía de una aberración jurídica absoluta: el hacer responsable a una persona de unas características de sus progenitores, sobre las cuales no tenía responsabilidad alguna (en este caso, la confesión religiosa de algún antepasado), no de unos actos concretos atribuibles a ella. Como decía Nolte, se condenaba por ser, no por actuar.

---

15 Idem. Cfr. Págs. 45-46. El presidente de la Liga de Veteranos Judíos, que agrupaba a los excombatientes judíos de la I Guerra Mundial era Leo Löwenstein.

El 27 de mayo de 1933, el Ministro de Defensa, general Von Blomberg, introdujo estas medidas en el ámbito de las Fuerzas Armadas, inicialmente solo para el personal civil de ellas dependiente. Pero algunos meses después, el 28 de febrero de 1934, Von Blomberg decretó la aplicación del *Arierparagraph* también para el personal militar. Para el joven oficial Erich Rose aquella decisión fue la que cambió su vida.

Capítulo 3
Rose, el judío

En virtud de aquellas absurdas disposiciones, resultaba que él era judío al 75 por cien, porque su padre tenía dos progenitores judíos, mientras que su madre tenía uno. Daba lo mismo que tanto su padre como él estuvieran bautizados y que no se sintieran otra cosa que alemanes. Toda su juventud, Erich Rose no había soñado con otra cosa que con ser oficial del Ejército para proteger a Alemania del peligro bolchevique y para ayudar a su Patria a liberarse de las cadenas de Versalles. Y ahora que estaba en el poder un líder y un partido que parecían compartir sus ideas, él era expulsado del Ejército.

La historia de los militares judíos, o parcialmente judíos (según la terminología nazi) constituye un capítulo realmente interesante de la historia militar alemana, y es una suerte que el magnífico libro de Rigg acabase encontrando un editor español. Como el lector puede acceder fácilmente a esa obra, no hace falta citarla *in extenso* y me limitaré a reseñar varios datos que permitan situar la historia de Erich Rose en su contexto, ya que su caso no fue, por desgracia, el único. El primero es que, en conjunto, los mandos militares se tomaron muy poco interés en aplicar esta política antisemita, en especial en la Armada y la Fuerza Aérea. El segundo es que, en definitiva, unos 150.000 alemanes judíos y *mischlinge* acabaron prestando servicio en las Fuerzas Armadas alemanas, y pese al progresivo endurecimiento de las medidas contra ellos, que en decenas de miles de casos supuso que se les retirara del servicio, algunos de ellos siguieron vistiendo el uniforme hasta el final del conflicto. Militares alemanes muy destacados como Milch (mariscal de la *Luftwaffe*), Bayerlein (general de Tropas *Panzer*) o Rogge (almirante, quien había alcanzado la gloria como comandante de un buque corsario, el crucero auxiliar *Atlantis*) son ejemplos de destacados militares alemanes que eran *mischlinge*. Entre los 1.671 casos analizados exhaustivamente por Rigg, encontramos muchos ejemplos de destacadísimos militares que recibieron importantes condecoraciones, cayeron en combate o sufrieron graves heridas. No faltaron los casos, realmente trágicos, de militares que lucían sobre sus uniformes condecoraciones prestigiosas, incluida la Cruz de Caballero, mientras sus familiares directos debían lucir la estrella de David sobre sus atuendos civiles, instituida por los nazis como símbolo discriminador e infamante. Y este es el tercer elemento a tener presente: confrontados con el hecho incuestionable de que, pese a sus ancestros judíos, muchos de estos hombres eran excelentes soldados ([16]), se decidió como

16 La idea de que los judíos, por su supuesta naturaleza intrínseca, no podían ser buenos soldados se encontraba muy extendida, más allá de los límites del movimiento nazi. Un buen ejemplo en este sentido lo da la conversación entre Stalin, el General Sikorski, presidente del Gobierno polaco en el exilio, y el General polaco Anders, cuando negociaban la creación de unidades militares polacas a partir de los prisioneros de esa nacionalidad en manos de los soviéticos. Este es el texto:

"Anders.- Creo que puedo contar con unos 150.000 hombres a mi disposición, aunque muchos judíos no quieren prestar servicio en el Ejército.

"Stalin.- Los judíos no son buenos soldados.

"Sikorski.- Los judíos que se alistan en el Ejército suelen ser contrabandistas y gente del mercado negro. Nunca serán buenos soldados. No necesito a esa clase de gente en el Ejército polaco (...)

medida excepcional decretar la arianización de muchos de estos *mischlinge.*

Esta arianización solo podía ser decidida personalmente por Hitler, quien, en medio de las innumerables ocupaciones que cabe suponer en un Jefe de Estado y de Gobierno y Comandante en Jefe de un gigantesco Ejército, sin embargo dedicaba mucho tiempo a estudiar cada una de las propuestas de arianización. Como conclusión, cabe señalar que debido a los prejuicios racistas de su política, Hitler privó a la *Wehrmacht* del concurso de no menos de 250.000 soldados, lo que supone unas bajas comparables a un Stalingrado. La cifra incluye al grueso de los *mischlinge* en edad militar que fueron reclutados inicialmente, pero a los que se fue desmovilizando, y también la cifra aproximada de soldados que podrían haber sido reclutados de no haberse fomentado la emigración de población de los judeo-alemanes, y de no haberse excluido totalmente del reclutamiento a los judíos que permanecieron en el Reich.

Cuando se decretó la separación del servicio de los militares judíos o *mischlinge*, aún ejercía como Presidente del Reich el viejo mariscal Paul von Hindenburg, quien exigió que se tuvieran consideraciones con aquellos que habían prestado destacados servicios, así como que se les ofreciera una alternativa profesional que les permitiera vivir dignamente. Según el general Schnez, a su amigo Erich Rose, por ejemplo, se le ofreció en 1934 un empleo en la Embajada alemana en Madrid. Pero no estuvo mucho tiempo en ella, aunque el general ignoraba si se había desligado de ella por propia voluntad o bien por ser

---

"Stalin.- Sí, los judíos no son buenos soldados".
Reproducida en la obra de Donald Rayfield, "*Stalin y los verdugos*", Ed. Taurus, Madrid 2003; Cfr. págs. 495-496.

presionado para ello. Posiblemente le presionaran, pues las primeras medidas legislativas contra los judíos fueron perfeccionadas cuando en septiembre de 1935 se dictaron las llamadas Leyes de Nuremberg ([17]) que supusieron un endurecimiento de las medidas discriminatorias contra judíos y *mischlinge*. Recibidas con notable desinterés, cuando no desprecio, por la población alemana, sus perversas consecuencias quedaron en un segundo plano ante los éxitos que estaba cosechando el régimen nazi, que en pocos meses había barrido toda sombra de amenaza revolucionaria izquierdista, había logrado el pleno empleo y la reactivación económica y estaba empezando a romper las ataduras de Versalles con la reincorporación del Sarre al Reich (enero de 1935), la reintroducción del servicio militar obligatorio, y la creación de la *Wehrmacht* (marzo de 1935).

Así que, verosímilmente, el paso de Rose por la Embajada alemana fuera fugaz. Pero parece que siguió en España. Lamentablemente, este periodo de la vida de Rose no ha dejado ningún rastro documental. En uno de sus correos, la Dra. Meinl apuntaba: "Siempre he pensado que trabajó para la Inteligencia Militar alemana (para Canaris) porque fue algo común enviar fuera del país a judíos y semi-judíos de ideas patrióticas para trabajar para el Abwehr([18])".

Meinl citaba como ejemplo ilustrativo para su hipótesis el caso, también reseñado por Rigg, de cómo un elevado porcentaje de miembros de la misión militar alemana enviada a China eran oficiales judíos o semi-

17 "*Reichsbürgergesetz*" (Ley de la Ciudadanía Alemana) y "*Gesetz zum Schutz des deutschen Blutes und der deutschen Ehre*" (Ley para la Protección de la Sangre y el Honor alemanes).

18 *Abwehr* era el nombre de los servicios de inteligencia militar alemán. El almirante Canaris fue su jefe más caracterizado.

judíos que habían sido excluidos del Ejército, pero que fueron enviados a cumplir esta tarea en espera de que en Alemania las cosas se calmaran y, con la confianza de que cuando llegara el momento de una nueva guerra, se les permitiera el reingreso en el Ejército. Otros casos eran los de oficiales alemanes que se negaron a divorciarse de sus esposas judías, y a los que se licenció, aunque buscándoles acomodo como profesores de academias militares en países interesados en contar con instructores alemanes. La hipótesis de Meinl de que Rose permaneciera en España como agente del *Abwehr* no es descabellada en absoluto. Pero la realidad es que no existe documento que lo demuestre, así que si Rose actuó como agente del *Abwehr* en España, sería en un papel muy secundario. Y no podemos olvidar que, en definitiva, muchos judíos alemanes habían encontrado una salida para su difícil situación en la emigración ([19]) y Rose puede ser un caso más dentro de esta emigración judía, fomentada por las mismas autoridades nazis.

En cualquier caso, como ya se ha señalado, este es un periodo oscuro de la vida de Rose y poco o nada podemos decir sobre él. Hay que suponer que en algún momento antes del estallido de la Guerra Civil, o inmediatamente después del estallido de esta, Rose abandonara el país de vuelta a Alemania, ante el enrarecimiento de la situación para la colonia alemana establecida en España —unas 15.000 personas—, dada la abierta postura antinazi del Gobierno de izquierdas instaurado en España tras la victoria del Frente Popular en febrero de 1936.

---

19 "*Entre 1933 y 1938 salieron del país (Alemania) alrededor de 150.000 del medio millón de judíos alemanes; igual número huyó el año anterior a la invasión de Polonia*"; De Lange, Op.Cit., Cfr ., pág. 70.

Capítulo 4
Llegada a España

El inicio de la Guerra Civil española iba a abrir unas posibilidades inéditas para Rose. No es este el lugar para contar el origen de la implicación alemana en esta contienda, ya que existen excelentes obras globales sobre el tema ([20]). Si acaso vale la pena subrayar, dado el tema que nos ocupa, que uno de sus organizadores fue el general de la Fuerza Aérea alemana Helmuth Wilberg, un *mischling* que había logrado continuar su carrera militar. En el marco de la creciente presencia militar alemana en nuestro país, se decidió enviar un equipo de instructores, inicialmente para instruir a las Milicias de Falange y más tarde para ayudar en la formación de Oficiales y Suboficiales Provisionales del Ejército ([21]). Este conjunto de personal alemán fue conocido como *Gruppe Issendorff*, por el nombre de su primer jefe, el teniente coronel Walter von Issendorff, o como *Imker Ausbilder* (Imker-Instructores), ya que el nombre codificado para el conjunto del personal del Ejército alemán adscrito a la Legión Cóndor era *Imker*.

Erich Rose Rose iba a regresar a España como miembro de este *Gruppe Issendorff*, aunque quizás

---

20 Raúl Arias Ramos, "*La Legión Cóndor en la Guerra Civil. El apoyo militar alemán a Franco*", La Esfera de los Libros, Madrid 2003.

21 Este capítulo de la intervención alemana ha sido estudiado con todo lujo de detalles por Lucas y Manrique en "*Los hombres de von Thoma*", Op. Cit., Cfr. pág. 129 y sigs.

mantuviera también en esta época alguna vinculación con el *Abwehr*. Esta sigue siendo la hipótesis de Meinl, quien ha escrito que "Rose combatió en España a partir de 1936 en el lado franquista durante la Guerra Civil verosímilmente como agente del Abwehr" ([22]). Esta hipótesis tiene la virtud de explicar por qué alguien que ha sido excluido expresamente del Ejército alemán puede volver a España como integrante de un destacamento expedicionario de ese mismo Ejército, ya que el hecho de que estuviera parcialmente familiarizado con el idioma español no parece motivo suficiente. Suponer que Erich Rose, para regresar a España, contó con el apoyo del almirante Canaris, jefe del "*Abwehr*", o de alguno de sus subordinados, no es descabellado, aún cuando no existan pruebas fehacientes. Pero, en todo caso, las actividades de Rose en España, a partir de ese momento, como vamos a ver, tienen muy poco que ver con las de un agente de Inteligencia Militar ([23]).

---

22 Meinl, Op. Cit., Cfr. pág, 32.

23 La llegada a España de la Legión Cóndor supuso un sustantivo reforzamiento de la actividad del "*Abwehr*" en España. Uno de los investigadores españoles que más han estudiado las actividades de ese Servicio en España, Jesús Ramírez Copeiro del Villar, ha escrito con respecto al "*Abwehr*": *"Su personal estaba compuesto por oficiales de buena posición social, políticamente conservadores, de reconocida confianza y fidelidad, en su mayor parte antiguos combatientes de la I Guerra Mundial, reclutados cuidadosamente a través de contacto personal y ajenos por completo a la ideología nazi. Canaris jugó un papel importante en las relaciones hispano-alemanas durante la Guerra Civil española, estableciendo una amistad personal con el General Franco y otros líderes del Movimiento. (...) Un equipo del "Abwehr (...) llegó a España junto con los voluntarios de la Legión Cóndor y creó las bases de la organización del "Abwehr" en España"*. En "*Espías y Neutrales. Huelva en la IIª Guerra Mundial*". Editado por el autor, Valverde del Camino, Huelva, 1996. Cfr. Págs. 303-304. Otro gran especialista en las actividades del "*Abwehr*" en España, Manuel Ros Agudo, también

Los documentos sobre Rose conservados en los archivos españoles aseguran que llegó a España el 13 de junio de 1937. No he encontrado ningún papel que informe expresamente sobre sus primeros dos meses y medio de permanencia en España, pero como alguno de los documentos a él referidos asegura que su primer destino como instructor fue la Academia de Toledo, se puede suponer sin mucho margen de error que, en efecto, debió figurar en el cuadro de instructores que impartieron en esas precisas fechas dos cursos para tenientes provisionales en la citada Academia.

El día 1 de septiembre de 1937, y según consta en certificación expedida a su nombre, inició un nuevo servicio, ahora como instructor en la Academia de Alféreces Provisionales de Granada que, junto con las de Riffien y Ávila, fue una de las tres Academias que formaron al grueso de los Alféreces Provisionales de Infantería del Ejército Nacional. Rose permaneció allí hasta el 31 de enero de 1938, cinco meses completos. Sin embargo, el 28 de septiembre de 1937, es decir, durante su primer mes de servicio en Granada, Rose remitió al teniente coronel Von Issendorff una instancia en que rogaba:

> Se sirva hacer las oportunas gestiones bajo la intervención del Sr. Coronel von Thoma de afiliarse como Teniente en la Legión Extranjera y expone lo

---

ha subrayado como la llegada de la Legión Cóndor permitió amplificar hasta un nivel entonces inesperado el despliegue de la Inteligencia Militar alemana en nuestro país. Véase su obra, "*La Guerra secreta de Franco (1939-1945)*", Cfr. pág. 210 y sigs. Consultados ambos autores sobre si en el curso de sus investigaciones habían tenido ocasión de encontrar alguna referencia a Erich Rose Rose como agente del "*Abwehr*", respondieron negativamente.

> siguiente: el deseo interior de tomar decisivamente parte en la lucha contra el peligro bolchevique me trajo a España. Después de haber desempeñado durante varios meses el trabajo como instructor me he convencido que puedo secundar con más eficacia esta contienda luchando en primera fila. Al mismo tiempo me complazco advertirle que tengo la intención de quedarme para siempre en España ([24]).

Von Thoma aceptó la solicitud de Rose y la apoyó, escribiendo en los siguientes términos al general Yagüe, Inspector de la Legión:

> Tengo el honor de someter a la decisión de V.E. una instancia del Teniente alemán Rose que io (sic) mismo puedo segundar (sic) muy de buena gana. Desde meses trabaja el Teniente éste de instructor en una Academia de Infantería y sin duda gracias a sus conocimientos militares y su personalidad haría un buen oficial de la Legión Extranjera, lo que es su íntimo anhelo teniendo la intención de quedarse en España. Hace tiempo se esfuerza en perfeccionarse en el idioma español y desde luego ya puede hacerse comprender muy bien. El Teniente ruega a V.E. de aceptarle como oficial y está a las órdenes de V.E. para presentarse personalmente.

La carta, con registro de entrada del 10 de octubre de 1937 en la Inspección de la Legión, acaba solicitando

24 Hay que suponer que la instancia original se escribió y remitió en alemán, pero la copia del Archivo de la Legión está en castellano aunque, como se ve, con giros bastante peculiares.

que se le notifique la respuesta al mismo Von Thoma (jefe del Grupo alemán). Apenas tres días después, Yagüe remitía escrito a Franco exponiéndole el caso de Rose y la recomendación de Von Thoma, solicitando que concediera "la correspondiente autorización para admitir al referido oficial en la Legión filiándole en el Banderín de Talavera por la duración de la campaña y reconociéndole el grado que ostenta actualmente". El 23 de octubre, el C. G. G. daba respuesta afirmativa a la petición. Una nota manuscrita en el documento original dice: "Comunicarlo por teléfono a Von Thoma para que el referido oficial se presente en Talavera". Por su parte, la Inspección de la Legión informó a la Bandera de Depósito de Talavera de que Rose debía ser filiado como teniente cuando se presentara.

Y, sin embargo, Rose no se presentó en Talavera y no fue incorporado a la Legión. De hecho, hasta el 31 de enero siguió prestando sus servicios como instructor en Granada. ¿Cuál fue la razón para que, después de haber mostrado tanto interés por pasar a la Legión, no aceptara la oportunidad que se le ofrecía de incorporarse a ella como oficial? Hay que descartar que Rose hubiera dado marcha atrás. Pero cabe la posibilidad de que Von Thoma no le trasmitiera el beneplácito de Franco. La razón sería que comprendió en seguida que se había cometido un error de procedimiento. La solicitud patrocinada por Von Thoma, tramitada por Yagüe y aprobada por Franco personalmente permitía a Rose acceder a la Legión directamente con su grado de teniente, lo que podía considerarse un favor muy especial, concedido sin duda por venir avalado por Von Thoma. Pero, a la vez, era explícita: el nombramiento sería por la duración de la campaña. Esto frustraba las aspiraciones, claramente expresadas por Rose, de quedarse a vivir en España, pues sin duda no imaginaba para él otra profesión que la militar. O bien Von Thoma pensó que en esas condiciones no valía la pena informar a Rose, o bien Rose, si llegó a saber la respuesta, quedó decepcionado.

Cuando terminó su periodo de servicio en Granada, Rose fue designado para prestar servicio en la Escuela Naval de San Fernando, en Cádiz. Este periodo de su estancia en España ha sido perfectamente narrado por Lucas y Manrique en su obra citada, a la que remito al lector. Solo subrayaré que en esta época tuvo como compañeros al teniente Joachim Canaris, familiar del antes citado almirante Canaris, alemán residente en España, y que quizás fuera el eslabón que unió al almirante y a Rose, y a Hans Hoffmann, quien volvería a coincidir con Rose en la División Azul, y de quien volveré a hablar. Vale la pena subrayar que estando Rose en San Fernando hubo que organizar a toda prisa un nuevo equipo de instructores porque se inició un nuevo curso para alféreces provisionales de Infantería de Marina, y para dirigir este nuevo equipo el designado fue el teniente Rose, que por vez primera accedía a esta responsabilidad de Jefe de Equipo de Instructores, lo que demuestra que tenía una reconocida solvencia a los ojos de sus superiores alemanes y españoles.

Mientras Rose se encontraba en San Fernando, concretamente el 1 de abril de 1938, Von Thoma volvió a escribir a Yagüe en relación con el teniente alemán, haciendo todo lo posible por conseguir una solución para Rose:

> En septiembre del año pasado entregué a V.E. en Yuncos la demanda adjunta del Teniente Rose, que tiene el deseo de ser admitido en la Legión

> Extranjera (...) tiene el especial deseo de continuar en la Legión Extranjera una vez terminada la guerra. Ruego por lo tanto a V.E. de examinar nuevamente la demanda remitida en el mes de septiembre de 1937, que fue por mi recomendada, para que me sea posible contestar al interesado.

El día 11 del mismo mes, Yagüe respondía a Von Thoma, comunicando que no se podían hacer excepciones a las normas sobre el reclutamiento de la oficialidad del Tercio:

> (...) las disposiciones en vigor sobre reclutamiento de la oficialidad de este Cuerpo se oponen a que pueda pertenecer al mismo una vez terminada la guerra en las condiciones que expone. Durante la actual campaña, son atribuciones de S. E. el Generalísimo el disponer la incorporación del referido oficial a la Legión.

Los oficiales legionarios procedían de las Academias Militares españolas o se reclutaban en el seno de la misma Legión a través de la llamada Escala Legionaria. Pero para ascender a oficial dentro de esta Escala era imprescindible empezar el servicio como Legionario e ir ascendiendo, peldaño a peldaño, la jerarquía militar.

En cualquier caso, el 5 de junio de 1938, el teniente Rose, acabada su tarea en San Fernando, volvía a empezar un nuevo periodo como instructor en la Academia de Alféreces Provisionales de Granada, donde permanecería hasta el 6 de Agosto. No cabe duda de que Von Thoma, después de su segundo intento de abril, sí que trasmitió a su subordinado las decisiones de Franco y Yagüe, permitiendo además que dejara de formar parte de la Legión Cóndor para empezar su nueva andadura en el Tercio. El 8 de agosto, Von Thoma firmaba a favor de Rose un certificado donde constaba su tiempo de permanencia en España, su servicio como instructor en Toledo, San Fernando y Granada, "ocupando últimamente en esta el cargo de Jefe de Compañía". Von Thoma concluía informando que:

> Durante su estancia en España de un año, ha tenido suficiente ocasión para cobrar el necesario dominio de la lengua española y aprender y el practicar, gracias a su empleo militar, todas las voces y ordenanzas españolas. El Teniente Rose se presta perfectamente para el empleo de Jefe de Compañía en el frente, así como de Jefe de Instrucción de Infantería. Conforme a las órdenes dictadas por S. E. El Generalísimo, no puede incorporarse oficial alguno a la Legión conservando su grado, sino única y exclusivamente como soldado. Como el Teniente Rose tiene el propósito de permanecer en el mencionado Cuerpo, una vez terminada la campaña, en la esperanza de ascender a oficial, efectúa su incorporación a la Legión con esta fecha.

Salta a la vista que Von Thoma consideraba un absurdo hacer que un competente oficial tuviera que volver a empezar de nuevo, desde el grado de Legionario de 2ª, su vida militar. Pero como Rose estaba decidido a hacer su vida militar en la Legión, estaba dispuesto a hacerlo.

Capítulo 5
En la Legión

El día 17 de septiembre era filiado en el Banderín de Enganche de la Legión en Zaragoza un legionario de 2ª con el nombre de Henri Rosse Rosse, destinándosele a la IV Bandera de la Legión. De aquí arranca, por cierto, el hecho de que nuestro personaje sea citado unas veces como Rose y otras como Rosse. La documentación existente sugiere alguna intervención a favor de Rose del mismísimo general Yagüe, ya que la Representación de la Legión remitió escrito a Yagüe desde Zaragoza comunicando haber cumplido su orden de alistar a Henri Rosse Rosse. Lo normal hubiera sido que Rose se hubiera presentando en la Bandera de Depósito de la Legión en Talavera para incorporarse al Tercio. Talavera fue el principal centro organizativo de la Legión durante la Guerra Civil ([25]), pero el problema es que, de haberse presentado allí Rose, hubiera sido alistado como teniente y solo hasta el final de la campaña, cosa que no le interesaba.

Pero esta pequeña argucia de alistarse en Zaragoza acabó siendo descubierta por el personal administrativo de Talavera que, meses más tarde, el 2 de febrero de 1939,

25 Al empezar la Guerra Civil la Legión contaba con seis Banderas, a las que se añadieron pronto dos más creadas en suelo marroquí. Pero durante los meses siguientes y hasta el final de la guerra, fue en Talavera donde se pusieron en pie otras nueve Banderas, a las que había que añadir otra que se organizó en Zaragoza.

remitía escrito al general Yagüe mostrando su extrañeza por lo sucedido. El citado escrito hacía referencia a las órdenes recibidas en octubre de 1937 para alistar a Rose como teniente cuando se presentara, ya que el citado oficial nunca se había presentado. Y añadía que, sin embargo, en la documentación por ellos recibida se habían encontrado con que en septiembre de 1938 se alistaba en Zaragoza un legionario con el nombre de Henri Rosse Rosse, pero cuyos datos de naturaleza coincidían con los del oficial que debía haberse alistado en octubre de 1937. En alguno de los papeles rellenados o entregados por Rose constaba su verdadero nombre, de manera que no fue difícil para los burócratas de Talavera suponer que era el mismo. Por ello, el oficial responsable concluía que "por si se tratase del mismo individuo, tengo el honor de ponerlo en el superior conocimiento de V.E. a los correspondientes efectos".

¿Por qué se había tomado Yagüe la molestia de pedir personalmente que se enganchara a Rose en Zaragoza? La única explicación plausible es que, dada su buena relación con los mandos alemanes de la Cóndor y más concretamente con Von Thoma ([26]), no quisiera negarse a un favor pedido por este oficial alemán. Además, la unidad a la que debía incorporarse Rose estaba bajo el mando de Yagüe. La IV Bandera era una de las mejores unidades de choque del Ejército Nacional. Mandada

---

26 Ramón Garriga ha subrayado los excelentes relaciones entre ambos militares. Véase su libro, "*El General Juan Yagüe*", Editorial Planeta, Barcelona 1985,Cfr. pág. 170. Sobre Von Thoma, uno de los más afamados generales alemanes en la II Guerra Mundial, donde destacó especialmente en el *Afrika Korps*, véase el artículo de Lucas Molina Franco y José Mª Manrique García, "*Wilhelm Josef Ritter von Thoma. General y Caballero*", en "Revista Española de Historia Militar", nº 36, junio 2003. Cfr. Págs. 307-314.

por el comandante Vierna (que años después mandaría un Regimiento de la División Azul en Rusia, ya como coronel), la IV Bandera había pasado desde Marruecos a la Península a fines de julio de 1936, combatiendo en la marcha sobre Madrid y en las batallas en torno a la capital, siendo enviada posteriormente al sector aragonés del frente, donde se batiría de nuevo en todos los combates de importancia. Estaba encuadrada, junto con otras dos Banderas Legionarias, cinco Tabores de Regulares, una Bandera de Falange y cuatro Batallones de Infantería en la 13ª División que, a su vez, era parte del Cuerpo de Ejército Marroquí, mandado por el mismo general Yagüe quien, a su cargo de Inspector de la Legión, había añadido desde hace meses el mando de esta poderosa unidad de combate.

En el momento en que Rose fue destinado a la IV Bandera la Batalla del Ebro había concluido su primera fase: el Ejército Republicano había sido completamente frenado y empezaba a ser rechazado. El día 7 de octubre, la 13ª División pasó a retaguardia para descansar, dado que en la primera fase de la batalla se había batido con gran denuedo e importantes bajas. Algunos días después, el Ejército Nacional pasaba al ataque, para liquidar completamente al Ejército Republicano del Ebro. No poseemos la menor referencia al papel que Rose pudo haber desempeñado en aquellos combates, y lo único que se encuentra en su documentación es la información de que el 26 de octubre causaba baja en la IV Bandera por enfermedad. Esa misma documentación nos informa que permaneció en el Hospital hasta el 11 de enero de 1939, fecha en que quedó bajo la dependencia de la Representación de la Legión en Zaragoza.

Mientras tanto, Von Thoma había hecho, de nuevo, gestiones a favor de Erich Rose. El día 22 de noviembre de 1938, en carta personal y manuscrita, le pedía al general Yagüe: "Ruego a V.E. que el voluntario Enrique Rose Rose, de la IV Bandera, 10ª Compañía, adonde presta servicio, pueda participar en un cursillo para Alférez Provisional". A continuación, von Thoma volvía a exponer detalladamente sus méritos:

> Hasta hace pocos meses estuvo Rose como Jefe de Compañía en la Academia de Alféreces de Granada y ha recibido informes del servicio prestado muy buenos, lo mismo de los militares españoles como de los alemanes. Me rogó de librarle del servicio para poder entrar como voluntario en la Legión española, por tener el deseo de quedar en la Legión también después de la Guerra. Los informes militares van añadidos a su documentación. Ruego a V.E. permita que pueda Rose presentarse a curso de Alféreces ya que desde junio de 1937 presta servicio en España como Jefe de Compañía, en una Escuela de Oficiales.

En respuesta igualmente manuscrita, Yagüe respondía a Von Thoma que la asistencia a los cursos de Alférez Provisional era decidida por los Jefes de la División a la que pertenecían los solicitantes y que Rose debía presentar su solicitud por esa vía. A la vez, Yagüe se tomó la molestia de remitir escrito al comandante Jefe de la IV Bandera preguntándole si el "Legionario Enrique Rose" había presentado solicitud para ir a un curso de Alféreces y, en caso afirmativo, qué curso había dado a dicha solicitud. Pero, como sabemos, en esas fechas Rose estaba en un Hospital en Zaragoza, mientras que la IV

Bandera tomaba parte en el avance por tierras de Aragón y Cataluña, por lo que el mando de la unidad no tuvo ni forma ni ocasión de contestar al escrito de Yagüe.

El 20 de febrero de 1939, por cuarta vez, Von Thoma volvía a interceder por Rose en una nueva carta a Yagüe donde de nuevo ponderaba sus méritos. En la carta, ubicaba correctamente a la IV Bandera en San Baudilio de Llobregat y, según parece, suponía que Rose estaba en ella en esos momentos (en realidad estaba en Zaragoza). Subrayaba en esta ocasión que Rose "Ha instruido a centenares de oficiales con el mayor éxito, como así puede atestiguarlo el Jefe de la Academia, Coronel Izquierdo, y yo, Jefe de Academias" (hay que suponer que Von Thoma quisiera decir que él era el Jefe de los Instructores alemanes en las Academias). Añadía que "asimismo ha demostrado gran valor y decisión en su actuación en el frente", dato este que no puedo ratificar por carecer de cualquier documento que nos informe al respecto.

Como vemos, el coronel Von Thoma, a quien sin duda podemos suponer ocupado por un buen número de asuntos, se tomó muchas molestias en el caso del teniente Rose, cuyas circunstancias personales sin duda conocía. Este sería otro ejemplo a unir a los numerosos ejemplos, documentados por Rigg, en el sentido de los abundantes casos en que militares alemanes hicieron todo cuanto pudieron por ayudar a sus camaradas de armas discriminados por ser judíos o *michslinge*.

Yagüe volvió a responder a Von Thoma exactamente de la misma manera que a la carta anterior. Pero, como se ha señalado más arriba, para esas fechas el personal administrativo de la Bandera de Depósito de la Legión ya había detectado que el Legionario Rosse, alistado en la IV Bandera, era la misma persona que el Teniente Rose, al que debía haberse alistado en octubre de 1937 como oficial.

De hecho, el comandante Jefe de la IV Bandera recibió un escrito fechado el 26 de febrero de 1939 redactado en estos términos: "Ruégole manifieste oyendo al interesado, Legionario Erich Rose Rose, si antes de efectuar su enganche tenía noticias de habérsele concedido el derecho a hacerlo como oficial en este Cuerpo y causas por las que no lo verificó". Yagüe ya no podía seguir amparando a Rose de una manera especial sin poner en juego su prestigio de ecuanimidad en la gestión de asuntos internos de la Legión, así que la burocracia debía seguir su marcha para esclarecer el tema.

Cuando Rose abandonó el Hospital, su Bandera había dejado Cataluña y se la había enviado a Extremadura para descansar y reorganizarse de cara a nuevas operaciones en Andalucía y La Mancha. Y el 18 de marzo de 1939, la Representación de la Legión en Zaragoza, de la que dependía desde que salió del Hospital, le emitía pasaporte para incorporarse a su unidad, vía Talavera. Tres días antes de esa fecha, el Jefe de la IV Bandera había tenido por fin ocasión para responder a la solicitud de informes sobre Rose, aunque solo para decir que estando de baja por enfermedad desde octubre anterior; no podía dar respuesta alguna a las preguntas que se le formulaban sobre Rose. Muy poco después de remitirse ese escrito, la IV Bandera se ponía de nuevo en movimiento, avanzando por el suelo del sur de la provincia de Ciudad Real, unas operaciones en las que cabe deducir que Rose tampoco participó.

Capítulo 6
Fin de la Guerra Civil

El día 1 de abril de 1939, por fin, la Guerra Civil terminó. Pero los asuntos burocráticos continuaron su marcha. El 3 de abril, Yagüe remitió sendos escritos a Zaragoza y Talavera para que se le aclarara dónde estaba Rose en ese momento. En los días siguientes, tanto la Representación de la Legión en Zaragoza como la Bandera de Depósito de Talavera respondieron que había sido pasaportado a la IV Bandera y, el día 20 de abril, el comandante Jefe de esa unidad, quien por fin pudo ver a Rose en persona, podía comunicar oficialmente a Yagüe que: "el legionario Erich Rose Rose manifiesta que no tenía ninguna noticia de que al hacer su enganche en este Cuerpo podía hacerlo como oficial". Aunque así hubiera sido, establecida su identidad, ya no cabía posibilidad de incumplir la orden de Franco de octubre de 1937 de alistarlo como oficial, por lo que el día 22 se ordenaba que Rose fuera finalmente filiado "reconociéndose el empleo de Teniente por la duración de la campaña en iguales condiciones que los restantes oficiales extranjeros que sirven en la Legión". Rose debió abandonar la IV Bandera y presentarse en Talavera.

Nuestro personaje volvía a encontrarse en una difícil situación. Ya era oficial de la Legión, pero en las condiciones en que había sido alistado no duraría mucho tiempo en el Cuerpo. Pronto empezaría la desmovilización de unidades y, puesto que su nombramiento era "por la duración de la campaña", él sería de los primeros que debería abandonar el servicio. Después de ser filiado como teniente en Talavera, ni siquiera había sido asignado a ninguna de las prestigiosas Banderas legionarias, sino que se le adscribió a la Bandera de Depósito radicada en esa localidad toledana. Mientras sus camaradas de la Legión Cóndor se despedían de España, tomando parte en diferentes desfiles, y se disponían a regresar a Alemania, donde iban a ser recibidos como héroes, Rose, como seguía totalmente decidido a permanecer en España, intentó una nueva solución: dirigirse directamente a Franco. El 30 de mayo de 1939, "Año de la Victoria", el teniente Rose dirigía al "Excmo. Sr. Jefe del Estado Español y Generalísimo de los Ejércitos Nacionales", instancia redactada en estos términos:

> Erich Rose Rose, Teniente de La Legión, de 26 años de edad, soltero, natural de Estrasburgo, en Alsacia, de nacionalidad alemana, a V. E. con el debido respeto tiene el honor de exponer:
>
> Que llevando dos años prestando sus servicios en el Ejército español y hallándose desde el mes de agosto de 1938 en La Legión, reuniendo por tanto dicho lapso de tiempo que es el que determina la O. C. de 4 de septiembre de 1920 (D. O. 199) para concederse a los súbditos extranjeros la nacionalidad española, es por lo que recurre a V. E. en súplica de que se digne concederle dicha nacionalidad a cuyo fin acompaña los documentos necesarios al objeto de que una vez otorgado este beneficio pueda ser nombrado Oficial Provisional para cuyo empleo ha demostrado aptitudes.

Acompañaban a la instancia una serie de certificados sobre sus servicios como Instructor, expedidos tanto por las Academias donde había servido como por la Legión Cóndor. Apenas unos días después, el 8 de junio, Rose volvía a la carga, con otra instancia dirigida igualmente a Franco, aunque en términos ligeramente distintos ya que subraya que "desempeña la graduación de Teniente en La Legión, según orden de S. E. por la cual los oficiales extranjeros pueden conservar su graduación prestando servicios en La Legión durante la Campaña", y añadía que "llevando dos años prestando servicio en el Ejército español y siendo su más vehemente deseo continuar en él, y habiendo solicitado la nacionalidad española, recurre a S. E., en súplica si no puede existir la posibilidad de pasar a la Escala Activa, por haber sido oficial profesional de Infantería en Alemania.

Entre la documentación adjunta figuraba escrito del Jefe de la Bandera de Depósito de Talavera que informaba sobre:

> el Teniente agregado a la 2ª Compañía de esta Bandera, Don Erich Rose Rose (...) honrándome en significar a V. E. que desde la incorporación de este oficial, observa intachable conducta, sin poder ampliar mis informes a más conceptos porque por estar en el Cuadro Eventual no he podido formar juicio de sus conocimientos profesionales ni aptitud para el mando.

Este informe era enviado a la atención de Yagüe en su calidad de General Jefe de la Legión. Como ya había ocurrido con Von Thoma, también Yagüe puso todo lo que pudo de su parte para ayudar a Rose, y el día 8 de junio, a la vez que Rose presentaba su nueva instancia, remitía escrito a Franco en el que informaba que Rose "solicita nacionalizarse español", y rogaba especial atención a su caso, ya que:

> siendo los trámites de larga duración para conseguir el interesado los documentos prevenidos en la vigente legislación para nacionalizarse, debiendo en tanto ser licenciado por estar filiado únicamente por la duración de la Campaña, respetuosamente me honro en ponerlo en su superior conocimiento a los efectos que considere convenientes.

El escrito de Yagüe y la instancia de Rose siguieron su curso burocrático normal, es decir, fueron remitidos a su vez al Ministro de Defensa, General Dávila, para que informara al respecto. En esas fechas, el citado Ministro aún seguía radicado en Burgos, como el mismo Cuartel General de Franco. Y casi simultáneamente se daba orden de adscribir a Rose a la XV Bandera de la Legión. Es curioso que en ese preciso documento donde se le asigna destino vuelva a reaparecer el nombre ficticio con el que realizó su alistamiento, ya que se le nombra como Teniente Don Henri Rosse.

Tal y como Rose sin duda temía, este último nombramiento era fugaz, ya que estaba empezando el proceso de desmovilización de las Banderas Legionarias que no eran necesarias de cara al nuevo periodo de paz. En efecto, el 12 de julio se le entregaba pasaporte para presentarse en Dar Riffien, en el Protectorado español en Marruecos, para ser licenciado en la debida forma y manera, puesto que su nombramiento era por la duración de la Campaña. Rose decidió jugar sus últimas cartas y obtuvo permiso para viajar a Madrid y tratar de activar sus gestiones, permiso que le fue concedido y comunicado a Dar Riffien. El 22 de julio, Yagüe volvía a enviar a Franco un mensaje idéntico al remitido anteriormente, el 8 de junio, solicitando de nuevo una atención especial para este caso.

Con fecha de redacción de 11 de agosto y registro de entrada del día 15 en la Representación de la Legión en Talavera, el General Subsecretario del Ejército en el Ministerio de Defensa respondía al General Jefe de la Legión, Yagüe, que el decreto de 4 de junio de 1939 que regulaba la posibilidad de pasar de la Escala Provisional a la Profesional solo afectaba en principio a los militares de nacionalidad española, pero que dadas las peculiaridades del caso, cabía un estudio más pormenorizado. Dicho de otra manera, se podía esperar que el caso de Rose se resolviera a su favor.

Había que localizar inmediatamente a Rose para trasmitirle tan buena noticia pero, de golpe, este se volvió ilocalizable. Desde Talavera se preguntó a las plazas de Madrid, Burgos y Dar Riffien si tenían noticias sobre su paradero. La respuesta llegó el 5 de septiembre y desde Dar Riffien: Erich Rose se había presentado allí, donde se procedió a licenciarlo como estaba previsto, y se extendió pasaporte a su favor para que llegara a Barcelona desde donde, según había manifestado, tenía intención de continuar con destino a Alemania. Curiosamente, en esa misma fecha se trasmitía a la dirección personal de Rose, un piso en la Calle de Alcalá de Madrid, una carta donde se le informaba sobre la posible resolución de su caso.

En principio, no reunía las condiciones para pasar de la Escala Provisional a la Activa, pero en la carta se añadía que:

> si se aprecian debidamente las circunstancias que concurren en el solicitante, especialmente el ser reglamentariamente oficial de La Legión Española, por haberlo sido con anterioridad del Ejército alemán, los servicios prestados en aquella y su amor a nuestro Ejército, pudiera si así lo considera el Excmo. Sr. Ministro de Defensa, acceder a lo que se solicita.

Se trataba del acceso a los cursos de Transformación para pasar a la Escala Activa. La respuesta, como se ve, si bien no era definitiva, parecía muy esperanzadora (hubiera sido muy fácil dar un no, amparándose en la legislación vigente) pero, seguramente, Rose no llegó a leerla, pues en esas fechas lo más probable es que estuviera en Alemania o en viaje hacia ella. ¿Qué podía haber motivado el repentino interés de Rose por volver a su país? A falta de cualquier dato concreto y seguro, solo cabe especular y la explicación más verosímil es que dado el ambiente claramente prebélico que se vivía en toda Europa, Erich Rose hiciera todo lo posible por regresar a Alemania con la esperanza de que, en aquellas circunstancias, las absurdas leyes raciales que le impedían servir en el Ejército quedaran en suspenso. Alemania iba a necesitar de todos sus hijos y él, que se sentía total y completamente alemán, no podía dejar de acudir en defensa de su país.

Capítulo 7
Camino de la II Guerra Mundial

Que muy posiblemente Rose lograra llegar a Alemania podemos deducirlo de que, en caso contrario, al haber recibido en su domicilio de Madrid el escrito antes señalado, hubiese vuelto a la carga para lograr el ser admitido como Oficial profesional de nuestro Ejército. Y que la suposición de Rose sobre que en aquellas circunstancias se relajarían las medidas discriminadoras con judíos y *mischlinge* no eran descabelladas nos lo ha demostrado Rigg, quien en su libro ha descrito como en los primeros meses de la guerra, decenas de miles de *mischlinge*, con un 50 o un 25 por cien de "sangre judía" fueron efectivamente movilizados. De hecho, hasta acabada la campaña de Francia, en junio de 1940, cuando Alemania consideró que la guerra estaba virtualmente ganada (el Ejército francés tenía la reputación de ser el más poderoso de Europa y sin embargo había sido completamente derrotado) no se cursaron órdenes estrictas a las unidades militares para que procedieran a la desmovilización en masa de los *mischlinge*.

Pero si Rose alcanzó Alemania, lo que parece creíble, cuando se presentara para ser alistado debió encontrarse con una cerrada negativa basada en que, en su caso, él era judío en un 75 por cien. Según el dogma racista, cabía esperar que en alguien con un 75, o al menos un 50 por cien, de "sangre alemana", esa "sangre aria" se impusiera a la reputadamente maléfica "sangre judía". Pero en alguien con tan solo un 25 por cien de "sangre aria" difícilmente se podía obrar tal milagro.

Cuando a mediados de agosto Rose estuvo en Dar

Riffien para ser licenciado, se le expidió un certificado con los servicios prestados en la Legión, quizás para poder emplearlo ante las autoridades militares alemanas. Lo cierto es que, el 14 de octubre de 1939 y según consta en su expediente legionario, se emitió una copia de este certificado, hay que suponer que para él personalmente, luego parece probable que en esa fecha estuviera en España otra vez.

Entre octubre de 1939 y julio de 1941 no se ha encontrado documento alguno que haga referencia a él. El intento por localizar si había algún expediente referido a Rose, debido a su intención de nacionalizarse español, petición que debía ser tramitada a través del Ministerio de Justicia, ha sido infructuoso. En el Archivo General de la Administración (AGA) de Alcalá de Henares, a donde debían haber ido a parar ese tipo de papeles, no me fue posible localizar nada referido al súbdito alemán Erich Rose Rose.

El porqué no intentó otra vez hacerse un hueco en el Ejército español tampoco lo sabemos. Si seguimos teniendo en cuenta la posibilidad de que siguiera vinculado al *Abwehr*, cabe especular con la posibilidad de que la Inteligencia Militar alemana lo prefiriese como civil en vez de como militar. Por otra parte, en su testamento, redactado en 1942, cita a una novia española, Rosario Tamayo Cuadrado, y a un socio alemán en Madrid, Carl Frohmüller. Quizás decidió hacer vida como un ciudadano civil.

Si así fue, ese proyecto de vida dio un vuelco cuando el 22 de junio de 1940 la hasta entonces invicta *Wehrmacht* cruzó la frontera soviética. Casi inmediatamente, en una España que apenas empezaba a restañar las heridas de la Guerra Civil, se sucedieron grandes manifestaciones públicas pidiendo el envío de una fuerza de voluntarios contra la Rusia Comunista. El Gobierno español decidió embarcarse en la aventura y pronto estuvieron abiertos los Banderines de Enganche para lo que iba a ser la División Azul. El flujo de voluntarios fue tal que no resultó fácil encontrar plaza en aquella fuerza expedicionaria anticomunista. Ignoramos cómo lo hizo Rose, pero el caso es que fue admitido y salió de España camino del frente ruso formando parte de la División Azul. La agobiante necesidad de intérpretes de alemán-español debe ser la explicación para que lograra una de las ambicionadas plazas.

Capítulo 8
En la División Azul

Su expediente personal de divisionario, conservado en el AGMAV, lo presenta como Teniente Provisional de Infantería, destinado en el Cuartel General de la División, y procedente de "Licenciado", es decir, que ya no servía en el Ejército en el momento de constituirse la División Azul. Aún más, el expediente nos informa que el teniente Rose estaba en posesión de dos condecoraciones españolas, la Medalla de la Campaña, concedida a todos quienes habían servido durante la Guerra Civil, y una Cruz Blanca al Mérito Militar, condecoración ésta que no se concede por hechos de guerra, sino por otro tipo de méritos castrenses. La ficha personal incluida en su expediente recoge también la dirección del cabeza de familia y ahí aparece: "Doctor Rose, Wittmannstrasse 42, Darmstadt, Alemania".

En la Revista de Comisario que se pasó en las distintas unidades de la División Azul el 1 de agosto de 1941, Rose aparece específicamente reseñado como intérprete destinado en el Cuartel General. Una información más precisa y detallada la ofrece Fernando Vadillo en su libro *Orillas del Voljov* ([27]) quien ubica exactamente a Erich Rose como intérprete adscrito a la Unidad de Servicios del Cuartel General de la División, a las órdenes del Gobernador del Cuartel General,

27 "*Orillas del Voljov*", Vol. Iº, Cfr. pág 76. García Hispán editor, Granada 1991.

Capitán José Permuy, y junto a otros dos tenientes intérpretes (éstos españoles, José Jaime Monteys y Juan Manuel Castro-Rial Canosa) un oficial pagador y un oficial médico.

Un listado de fecha no explicita, pero sin duda de finales de 1942, ya deja perfectamente clara cuál era su posición: oficial interprete en la 2ª Sección del Estado Mayor español, la Sección de Información, aclararé en atención a los menos dados a la orgánica militar.

La Segunda Sección usó un elevado número de traductores del alemán (también del ruso) ya que debía verter al español toda la información militar generada en los escalones militares alemanes, y a la inversa, trasmitir a los alemanes toda la información recopilada por los españoles, pero también porque era la encargada de las tareas de propaganda en la División. Entre los intérpretes con rango de teniente en esa Segunda Sección y según el citado documento encontramos personalidades notables como el teniente provisional Antonio Zubiarre (poeta y traductor del alemán), y el también teniente provisional Dr. Juan M. Castro-Rial (ya catedrático de Derecho, y futuro diplomático).

El resto de traductores adscritos a la Segunda Sección incluían un alférez, seis suboficiales y un soldado. Uno de ellos era un alemán nacionalizado español por matrimonio, que se había unido a la División Azul; dos más eran hijos de familias mixtas hispano-alemanas. Los restantes eran españoles "de pura cepa". Solo Rose era ciudadano alemán.

No era el de traductor —el que debía desempeñar si quería servir en la División Azul— un puesto de gran brillantez. El documento citado que identifica su puesto de servicio en la División identifica a un total de 37 divisionarios en funciones de intérpretes de alemán-español. Desde luego no era el que Rose había soñado durante años, cuando sin duda se había visto a sí mismo protagonizando gestas heroicas avanzando al frente de sus soldados. Pero es muy posible que, de todas formas, estuviera lleno de alegría en su interior. Volvía a vestir el uniforme "*feldgrau*" alemán, con las divisas de teniente. Y se iba a batir contra el Comunismo, como siempre había deseado. Cierto, lucía un escudo español en su guerrera, pero llevando tanto tiempo conviviendo con españoles, sin duda se sentía cómodo entre los hijos de la que quería que fuera su Patria de adopción.

Un puesto de intérprete en un Cuartel General no es la mejor forma de obtener fama y gloria. Ni siquiera es un buen lugar para conseguir modestas condecoraciones. El paso de Rose por la División Azul no nos ha dejado, por tanto, una ancha estela de datos. Pero hay uno que es muy revelador. Según consta en la documentación en posesión de la Fundación de la División Azul, el teniente Erich Rose Rose recibió la Cruz de Hierro de 2ª Clase el 30 de abril de 1942. El documentalista de la FDA, César Ibáñez, elaboró los listados de los españoles que recibieron las Cruces de Hierro de 2ª y 1ª Clases, en base a los correspondientes documentos oficiales alemanes depositados en el "*Bundesarchiv-Militärarchiv*" germano. En ese exhaustivo listado podemos comprobar que el mismo día, idéntica condecoración fue otorgada a otros cinco oficiales que servían en el Cuartel General de la División Azul. Pero todos ellos tienen una graduación muy superior a Rose (dos son tenientes coroneles y tres son comandantes) y todos ellos habían ocupado puestos de relevancia en el organigrama de mando de la

División Azul ([28]). Que en esa misma fecha y ocasión la condecoración le fuera otorgada a quien en apariencia no era más que un sencillo teniente provisional en anodinas tareas de intérprete sugiere que, cuando menos, Rose acreditaba un sobresaliente celo en el cumplimiento de sus obligaciones, tan notorio como para llamar la atención del mando de la División, del cual, parece evidente, podemos afirmar que gozaba de plena confianza. Es obvio que si ninguno de los otros intérpretes de la División eran condecorados en esa ocasión, algo especial debía haber en él. Si aparte de este mérito genérico de un trabajo bien hecho hubo, en los motivos de la concesión, otro mérito más concreto y específico (por ejemplo, haber participado en algún hecho de armas), lo ignoro.

Para quien había soñado toda su vida con ser oficial del Ejército alemán, el recibir la *Eisernes Kreuz*, la Cruz de Hierro, sin duda alguna el símbolo por antonomasia de las tradiciones militares germanas, debió suponer una inmensa alegría. Una alegría que, sin embargo, iba a verse empañada muy pronto por motivos muy distintos.

Hay que suponer que el teniente Rose recibiría correo de su familia y amigos desde Alemania. Y las noticias que le llegarían eran, no cabe duda, cada vez peores. La persecución contra judíos y *mischlinge* subía de intensidad día a día, conforme el curso de la guerra se volvía adverso para Alemania. Hitler había soñado

---

28 El teniente coronel Fernando Carcer Disdier, el comandante Gonzalo de la Lombana García y el comandante Manuel Mora-Figueroa y García-Imaz (en realidad era oficial de la Armada y comandante es el grado equivalente en la nomenclatura del Ejército de Tierra), habían ejercido, todos ellos, de Ayudantes de Campo del General Muñoz Grandes, jefe de la División. El teniente coronel Manuel Ontañón Carese era Jefe de los Ingenieros de la División y el comandante Argimiro Imaz Echevarria dirigía la 4ª Sección del Estado Mayor.

una guerra corta, una *Blitzkrieg*, porque esa era la única guerra que Alemania podía ganar. Pero a finales de 1941 todo había cambiado. El Ejército Rojo, al que se había despreciado hasta extremos absurdos, no solo no había sido derrotado, sino que en la ofensiva de invierno de 1941-1942 había causado a los alemanes humillantes derrotas. Los Estados Unidos habían entrado en la guerra.

Para Hitler todo ello era una muestra más de la existencia de una conspiración judeo-capitalista-comunista. Y como la guerra en curso no era para él la que en realidad era (un choque entre grandes potencias, perfectamente explicable en clave geopolítica) sino una batalla entre lo ario y lo judío, obró siguiendo esos prejuicios. Los soldados alemanes, que se esperaba se pasearan fácilmente victoriosos por los espacios infinitos de la URSS, caían por centenares de miles en un frente donde las batallas más espantosas se sucedían con una rapidez endemoniada. En la misma Alemania, los bombardeos de terror aliados arrasaban ciudades y masacraban civiles. Si bien centenares de miles de judíos alemanes habían emigrado antes de la guerra, aún quedaban muchas decenas de miles en Alemania, así como una importante masa de *mischlinge*. Como Hitler y muchos dirigentes nazis estaban convencidos de que la Revolución de 1918 en Alemania había sido provocada por los judíos, no estaban dispuestos a tolerar que siguieran residiendo en suelo alemán. Cada vez más familias judías alemanas eran deportadas a campos de concentración, o a guetos establecidos en las regiones ocupadas de Europa Oriental. No se las acusaba de nada en concreto, de ningún hecho específico, sino simplemente de ser hebreas. Los *mischlinge* veían cómo sus derechos eran cada vez más recortados y, de hecho, se les asimilaba pura y simplemente a los judíos. La realidad es que muy posiblemente la mayor parte de aquellos judíos y *mischlinge* habrían prestado su concurso al esfuerzo de guerra alemán, pero nunca se les permitió hacerlo. Ahora, en cambio, se veían castigados, como señalaba Nolte, no por hacer, sino por ser. Es fácil imaginar los efectos de esas noticias sobre Rose.

La División Azul mantenía en Madrid una oficina propia, la Representación de la División Azul, encargada de gestionar todo el papeleo generado por la fuerza expedicionaria. En los expedientes que esta oficina mantenía sobre los integrantes de la División se hacía constar, por ejemplo, si por algún motivo viajaban a España. En ese caso se anotaban las fechas de cruce de la frontera hispano-francesa, en un sentido y otro, a efectos de computar el tiempo de servicio. Gracias a esa práctica sabemos que Erich Rose viajó a España en 1942, entrando en nuestro país el día 23 de agosto de 1942 y saliendo de él con destino al frente el 11 de septiembre siguiente. El motivo reseñado para el viaje se consigna como "Comisión de Servicio", es decir, un viaje por motivos oficiales. Pero carecemos de cualquier otra indicación sobre cual era la misión concreta que le trajo a España.

En todo caso, poco antes de emprender viaje le llegó una terrible noticia: sus padres habían sido deportados a Theresienstadt. Se trataba de una localidad situada en Bohemia (el nombre checo era Terezín) de la que, a fines de 1941, se había evacuado a la población para reasentar en ella a ciertas categorías de judíos con los que se deseaba tener alguna consideración. Por ejemplo, con quienes habían sido oficiales y funcionarios de cierto rango, con los veteranos de guerra, judíos casados con arios, etc. El padre de Rose, judío al 100 por cien según la legislación nazi, pero exoficial del Ejército del Káiser, fue uno de los designados para ser deportados a este campo o "*Ghetto*". La noticia a buen seguro conmovió tanto a los padres como al hijo. ¿Cómo podía asumir su padre que él, devoto y orgulloso oficial del Ejército Imperial, fuera tratado como un criminal, y deportado? ¿Y qué podía sentir su hijo, educado por el padre en el amor a Alemania y a su Ejército, ante el trato que se les daba a sus por otra parte ya ancianos padres?

En algún momento del viaje, a la ida o a la vuelta, Erich Rose visitó a su viejo compañero de los días de cadete, el a la sazón capitán Albert Schnez, destinado en el Alto Mando del Ejército (OKH). Schnez no pudo precisarme la fecha exacta, ni a mí en la carta que me dirigió, ni a B. M. Rigg cuando le entrevistó para su libro. Pero sí recordaba muy bien las circunstancias en que se produjo el encuentro.

Puesto que el Rigg ha sido el primero en dar a conocer al público este estremecedor momento, creo que debo cederle a él la palabra, aunque, como se verá, haya algún error de detalle:

> A veces, el conocer del sufrimiento que causaban los nazis a sus familiares resultaba insoportable para los Mischlinge (que servían en el Ejército; NdA). El Capitán (sic) Rose, veterano de la Legión Cóndor que había combatido en el bando de Franco y oficial de enlace en la División Azul española[29] se confesó en 1942 a un compañero de armas, Albert Schnez[30]; tenía un aspecto desmoralizado, sacudía la cabeza mientras contaba que su padre judío y

29 En realidad intérprete del Cuartel General español;

30 Más tarde, general de la Bundeswehr.

> su madre medio-judía habían sido deportados a Theresienstadt. Había oído que otros miembros de su familia estaban en los Campos y temía por su vida. Deseaba morir. "Estoy hecho trizas. Ya no tengo nada que esperar de la vida. ¡Toda mi familia ha sido asesinada o va a serlo!". Schnez, que estaba entonces destinado en el Estado Mayor del Ejército de Tierra trató de confortarlo lo mejor que pudo, prometiendo que trataría de obtener para él un certificado de "arianización". Uno de sus amigos, el Comandante Eberhard von Hanstein, del OKW[31] habló con Schmundt[32] y este presentó el caso ante Hitler ([33])
> (...)
> Hitler reconoció que Rose era un excelente oficial y que "si solo hubiera sido medio judío, hubiera estado dispuesto a concederle la arianización, pero era imposible con alguien que era judío al 75 por cien" ([34]).

Rigg recoge también otras partes del testimonio de Schnez, como que Rose parece que no estaba dispuesto a pedir la "gracia" de la "arianización", por considerar que sería comportarse "*como un cabrón*", ya que lo único que se conseguiría así sería que él pudiera seguir luchando mientras su familia era sin embargo perseguida.

En la carta que me dirigió, el general Schnez me trasmitió otros detalles que quizás también comunicó a

31 Alto Mando de las Fuerzas Armadas;
32 Ayudante de Campo del Ejército junto a Hitler;
33 Rigg. Op. Cit., Cfr. pág. 353.
34 Idem., Cfr. pág. 290.

Rigg, pero a este le parecieron irrelevantes. El general recordaba que aunque Rose tenía un aspecto muy deprimido, ya que su familia estaba siendo gravemente humillada y además expoliada, y algunos familiares habían sido ya deportados a campos de concentración, le dijo que él personalmente se sentía seguro en España y en la División Azul. Añadía el general, que tratando de averiguar más cosas sobre el destino de su amigo, había hablado sobre él con Hans Hoffmann. Este oficial alemán, de familia radicada en España, había sido compañero de Rose en los equipos de instructores de la Legión Cóndor y también se encontraba con la División Azul en Rusia, aunque en este caso como miembro de la Plana Mayor de Enlace alemana. Schnez habló con él en el 2002 en Málaga (Hoffmann ocupaba el cargo de Cónsul alemán en esa ciudad andaluza). Lo curioso del testimonio de Hoffmann es que decía que en los últimos tiempos Rose acabó teniendo roces con algún oficial español, debido a la virulencia de sus ataques a Hitler. Al parecer Hoffmann citó el nombre de un oficial en concreto, de elevado rango, pero Schnez no lograba recordarlo. Consulté este extremo telefónicamente con el general Schnez, preguntándole concretamente si podía tratarse del general Muñoz Grandes, lo que negó taxativamente. El nombre de quien fuera el Comandante en Jefe de la División Española le era perfectamente conocido y, de haber sido ése, lo recordaría, me dijo.

En la versión de los hechos trasmitida por Hoffmann a Schnez, este empeoramiento de las relaciones de Rose con sus compañeros españoles afectó mucho a la moral de Rose. Llegados aquí, es importante subrayar que en la División Azul, como en cualquier fuerza militar del mundo, el criticar agriamente a quien, en definitiva, encarnaba el puesto de Comandante en Jefe, Hitler, sin duda debía ocasionar situaciones de tirantez puesto que era algo que afectaba a la moral. Los integrantes de la División Azul eran perfectamente conscientes de que en el Frente del Este se estaban librando titánicas batallas. Y nada debía afectar a la moral de combate de los soldados propios, ya que cualquier desfallecimiento en esa moral redundaba en ventajas para el enemigo. No se trataba, por tanto, de que los oficiales españoles con quienes eventualmente chocó Rose fueran especialmente filonazis o visceralmente antisemitas, sino simplemente de que pretenderían mantener intacto el más característico de los valores militares: la disciplina.

De hecho, el primer historiador que ha tratado académicamente el tema de las relaciones de los divisionarios españoles con los judíos perseguidos de la Europa Oriental, ha subrayado el comportamiento muy humanitario que al respecto tuvieron los españoles. Más significativa es la aportación de Alan Berkovitz, norteamericano de confesión judía, cuyo abuelo judeo-lituano asistió al paso de la División Azul por su localidad y que dejó escrito en sus memorias que aquella semana de convivencia con los españoles fue la única experiencia agradable que tuvieron en toda la II Guerra Mundial, lo que ha llevado a este autor a estudiar las relaciones entre civiles judíos y soldados españoles, concluyendo que no hubo entre estos conductas reprobables ([35]).

---

35 Me refiero al artículo *A Great Moral Victory" Spanish Protection of Jews on the Eastern Front*, de Wayne H. Bowen, aparecido en la obra editada al cuidado de Ruby Rohrlich, *Resisting the Holocaust*, Berg Publishers, Oxford y Nueva York, 1998. Cfr. Págs. 195 a 211. Ver

Lo más desconcertante del testimonio que Hoffmann ofreció a Schnez era la afirmación de que el oficial español con quien chocó Rose le acusaba de "haber ido contra los intereses españoles" y "haber traicionado a España". A uno le cuesta imaginar la forma y manera en que un simple oficial intérprete podía dañar esos intereses y la única explicación que se me ocurre es que quien formulara esa acusación supiera que Rose había trabajado o trabajaba aún para el *Abwehr*. Hoy sabemos muy bien —y quizás Hoffmann ya lo sabía entonces— que el *Abwehr* del almirante Canaris hizo cuanto estuvo en su mano para mantener a España fuera de la II Guerra Mundial, opción esta que era la contraria a la defendida por el otro servicio de inteligencia alemán, el SD (*Sicherheitdienst*), vinculado al partido nazi. Y la única razón por la que las historias de la División Azul hablan de Hoffmann es, precisamente, por haber estado implicado en cierta conspiración para hacer de Muñoz Grandes un líder alternativo a Franco, y que se esperaba que arrastrase a España a la guerra. La historia, cuya trascendencia real ha sido normalmente muy exagerada, y que ahora no hay razón para exponer con detalle ([36]), demuestra en todo caso que las actitudes políticas del general Muñoz Grandes hacia el gobierno alemán desde luego eran muy distintas a las que entonces había llegado

---

también el libro de Alan Berkovitz, *La División Azul ante el Holocausto,* Fajardo el Bravo Editor, Lorca, 2019.

36 Para los detalles, KLEINFELD, Gerald R. – TAMBS, Lewis. La División Española de Hitler. La División Azul en Rusia. Editorial San Martín, Madrid 1983. Cfr. Cap. 9º: "Conspiración, cambio de frente y el Palacio de Catalina la Grande".

Rose.

Finalmente, hay que recordar que en la División Azul se daban, de cuando en cuando, casos de soldados o mandos que eran calificados como indeseables por los motivos que fueran (de orden moral, de tipo político, por cobardía) y que eran devueltos a España. Estos casos quedaban debidamente consignados y desde luego en el expediente personal divisionario del teniente Rose no hay la más mínima indicación al respecto. Así que, en definitiva, los roces que Rose pudiera tener con uno o más oficiales españoles nunca trascendieron del nivel de lo puramente privado, nunca debieron ir más allá de conversaciones personales.

Con todo, he decidido ofrecer la versión de los hechos ofrecida por Hoffmann porque así me la ha trasmitido el general Schnez, y sería intelectualmente deshonesto por mi parte no consignarla, pero personalmente la encuentro poco creíble, por los motivos que expondré más adelante. En todo caso, la opinión que sobre los hechos llegó a formarse Schnez y que trasmitió a Rigg es que, ante la dramática situación en que se encontraba su familia y ante el enrarecimiento de sus relaciones con sus camaradas del frente, Rose cayó preso de una creciente melancolía y buscó la muerte en combate, una suerte de suicidio honorable.

Capítulo 9
Krasny Bor

Volvamos ahora a los hechos. En su viaje de regreso al frente, Rose se detuvo en Munich, donde con fecha de 20 de septiembre de 1942, dictó testamento. En el encabezamiento hace constar su posición militar: *Oberleutnant in der Spanischen Division* (Teniente en la División Española). El texto del testamento recoge una serie de cláusulas sobre el reparto de sus bienes, que aquí no nos interesan, salvo elocuentes detalles como que nombre albacea a su tío, Max Müting, teniente de la *Reichswehr* en situación de retirado del servicio, o que deje parte de sus bienes al hijo de su mejor amigo, el capitán Richard Schmittmann. Como se ve, nos hallamos ante un personaje cuyo círculo vital, familiar y de amistades está formado por militares alemanes. Ese era el mundo al que pertenecía y al que deseaba seguir perteneciendo. A la hora de repartir sus pertenencias tiene buen cuidado en premiar a quienes han apoyado a su familia en los tiempos difíciles que empezaron en 1934. Y, por desgracia, en el testamento debe citar también a sus padres (algo bastante inhabitual), porque es consciente de que debe tratar de ayudarles en la penosa situación en que se encuentran, si llega el caso de que él muera.

Pero lo más estremecedor del testamento que el Teniente Erich Rose firmó en Munich el 20 de septiembre de 1942 es su último párrafo:

> Si caigo en combate, y espero que esto no ocurra, no quiero que lloréis por mí, porque el destino que yo he querido para mí nunca ha sido otro que el de morir vistiendo mi guerrera gris, a despecho de todo. Y eso ya lo he conseguido, después de una gran lucha.

Sus padres estaban siendo objeto de un atropello inaudito por lo inmerecido. Y una absurda política racista pretendía negarle a él mismo ser lo que era, un soldado alemán. Pero, incluso en esas circunstancias, Erich Rose no formulaba para sí otro deseo que el poder tener el honor de caer en combate vistiendo su guerrera de oficial alemán. ¿Cabe imaginar una muestra mayor de amor a su Patria?

Puesto que el testamento de Rose está firmado el 20 de septiembre, lo razonable es imaginar que fuera a principios de octubre cuando el Teniente se incorporara a las líneas del frente guarnecidas por la División Azul, que ya no estaban en las orillas del Voljov, sino en los arrabales de Leningrado. En estos momentos parece que el teniente Rose estaba asignado ya a la 2ª Sección del Estado Mayor español, la Sección de Información, a la sazón mandada por el comandante José Alemany Vich.

Las noticias que Rose recibió después de reincorporarse al frente no pudieron ser más horribles. Sus padres habían sido deportados a Theresienstadt poco antes de que él firmara el testamento. Pero el padre no iba a durar mucho con vida. Según la Dra. Meinl, el Doctor Rose murió poco después de llegar a Theresienstadt, sin especificar el motivo. Ciertamente era un hombre de edad ya avanzada, pero suponer que haya muerto pura y simplemente de pena no es inconcebible. Siempre según la Dra. Meinl, la madre de Rose fue entonces deportada a Auschwitz, muriendo en el viaje de traslado en enero de 1943, sin que tampoco en este caso especifique un motivo concreto. El estado de ánimo de Rose cuando recibiera estas noticias no es difícil de imaginar.

Pero la guerra seguía su curso. El invierno se echaba encima y era de temer que, con la llegada de los grandes fríos, los soviéticos intentaran de nuevo grandes ofensivas, como ya había ocurrido el año anterior. En efecto, en enero de 1943, los soviéticos perforaron las líneas alemanas al sur del Ladoga, aunque solo establecieron un pequeño corredor entre la cercada ciudad y el resto de Rusia. Pero aquello solo era el principio. Los Estados Mayores alemanes evaluaron muy correctamente que el Ejército Rojo intentaría una nueva operación para desbloquear la situación en el sector de Leningrado. El lugar donde los soviéticos asestasen su próximo golpe no se podía saber, pero numerosos indicios apuntaban al sector de Krasny Bor, por el que pasaban tanto el ferrocarril como la carretera que unían Leningrado con Moscú. Era el sector guarnecido por el 262º Regimiento de la División Azul española.

Lógicamente se procedió a reforzar el sector con otras unidades españolas, y también con algunos elementos alemanes: baterías de artillería de campaña y cañones antiaéreos, *Flak*, de gran efectividad frente a los carros de combate enemigos.

El documento citado al principio de este artículo, donde se reseña el personal que en los combates del 10 de Febrero tuvo un comportamiento distinguido, es la principal fuente de información que tenemos para tratar de reconstruir el papel que tuvo el teniente Rose en la Batalla de Krasny Bor. En él se lee textualmente:

> Teniente Don Erich Rosse Rosse (sic).
> De la 2ª Sección de Estado Mayor, marchó a Krasny Bor para establecer un C. I. A. (Centro de Información Avanzado; N. d. A.); luchó valientemente en el pueblo y posteriormente se puso al frente de una Sección de "Flak" alemana hasta que, cercado y agotadas las municiones, intentó una salida en la que halló gloriosa muerte" ([37]).

Este sencillo párrafo nos permite reconstruir con bastante verosimilitud cuál debió ser el papel del Teniente Rose en el combate. Para empezar, hay que subrayar que al Teniente Rose se le había asignado una tarea de cierta responsabilidad. Se suponía, y pronto se vio que acertadamente, que el sector atacado iba a ser el del 262° Regimiento. Para analizar la información recogida sobre el enemigo desde las líneas propias, y canalizarla hacia escalones superiores, así como para hacer llegar hasta el Puesto de Mando regimental la información oportuna

---

37 Las Secciones de Combate terrestre de artillería antiaérea (Flakkampftruppen) eran unidades de la Fuerza Aérea que se ponían a disposición táctica del Ejército. Con una o dos piezas de 88 mm y dos piezas de cañones de tiro rápido de 20 mm, tenían una temible capacidad de fuego. Sus "88" eran las únicas piezas alemanas capaces de detener el avance de los T-34 y los KV-1, dos ingenios acorazados soviéticos que superaban cualquier cosa que los alemanes pudieran desplegar. Sus cañones de 20 mm podían barrer las masas de infantería. Tres de estas Flakkampftruppen alemanas fueron asignadas a la División Azul española para la Batalla de Krasny Bor, pero solo una de ellas se encontraba en posición al iniciarse el ataque y las dos restantes entraron en acción a lo largo de la jornada. Sobre el papel de estas unidades en la batalla ver mi libro *El cerco de Leningrado. Artillería alemana y española en la batalla de Krasny Bor*, Galland Books, Valladolid, 2014.

procedente de esos mismos escalones superiores, se estableció el citado Centro de Información Avanzado, bajo la responsabilidad de Rose. Si este oficial hubiera perdido la confianza de sus superiores españoles, resulta inimaginable que se le encomendara una misión como esta, muy sensible. Había suficientes oficiales en la División capaces de hacerse cargo de esa tarea, pero el elegido fue el teniente Rose. La idea que trató de difundir Hoffmann, de la Plana Mayor de Enlace alemana, de que Rose había perdido la confianza de los españoles, encuentra aquí una rotunda negativa.

Por otra parte, su papel, una vez iniciado el combate, lo podemos reconstruir en base a lo que sabemos sobre el desarrollo de la batalla. Los efectivos soviéticos lanzados contra el centro del dispositivo español al norte de Krasny Bor, el II Batallón del 262º Regimiento, acabaron rompiendo las líneas de esta unidad. Un primer contraataque a cargo de elementos del Grupo de Caballería español no logró restablecer las líneas. Con los soviéticos a punto de adueñarse de Krasny Bor, todos los elementos del Puesto de Mando del 262º Regimiento salieron al contraataque, tratando de agrupar en torno suyo a los soldados que, aislados o en pequeños grupos, se retiraban desordenadamente de la primera línea.

En el parte oficial de la batalla firmado por el general Esteban Infantes se lee: "Sobre las 10'00 horas de la mañana, la situación es desesperada, irrumpen las primeras olas en Krasny Bor y es preciso organizar el contraataque en el que toma parte personalmente el Coronel Jefe del Sector".

Fue un contraataque desesperado. Como decía el parte, el mismo coronel Sagrado se puso a su frente. Durante su transcurso cayó, por ejemplo, el capitán ayudante del Regimiento, Ángel Hernández Doncel.

Por la relación del personal distinguido en la batalla, sabemos también, por ejemplo, que el Oficial de Enlace alemán en el 262º Regimiento, el teniente Franz Jobst, y el intérprete de ruso en el Puesto de Mando regimental, el teniente Constantino Goguijonadchvili ([38]), tomaron parte en un combate singular contra un carro enemigo.

El teniente Rose hizo lo mismo que sus compañeros del Puesto de Mando y, evidentemente, también tomó parte en este contraataque desesperado. No fue la suya, según parece, una decisión personal de exponerse al fuego enemigo para buscar de alguna manera la muerte. Actuó, de igual manera, ni más ni menos, que el resto de sus camaradas de aquel Puesto de Mando.

En ese momento justo estaba entrando en línea de fuego una "Sección alemana de cañones Flak". Comprensiblemente, envueltos en plena batalla, lo primero que necesitaban era que alguien les informara qué demonios estaba ocurriendo y, como la Sección de *Flak* no disponía obviamente de intérpretes de español, Rose se ofreció (o se le ordenó) que se uniera a ella. Pero, por muy poderosa que fuera esa Sección, era exactamente eso: una Sección. Y fue tan arrollada por el terrible ataque soviético como habían sido antes las fuerzas españolas desplegadas en primera línea o encargadas de contraatacar.

38 Exoficial del Ejército zarista, de origen georgiano, y exiliado tras la victoria bolchevique, Goguijonadchvili se había alistado en la Legión Española con la que hizo la Guerra Civil. Se unió a la División Azul como intérprete de ruso, tomando parte en la campaña desde la llegada de los españoles al frente hasta la completa retirada del contingente hispano. Sobre él, véase la obra de Jaime Barriuso y Pablo Sagarra, *Por el Zar y por la Patria. Rusos blancos en la Guerra Civil española y en la II Guerra Mundial*, Galland Books, Valladolid, 2019. Cfr. Págs.. 100-102.

Si todo esto ocurrió tal como expongo, y creo que es la hipótesis más verosímil, nada indica que el teniente Rose aprovechara el combate de Krasny Bor para suicidarse exponiéndose indebidamente al fuego enemigo. En cualquier Ejército del mundo, el suicidio solo se considera aceptable cuando quien lo comete escapa así a una situación que implique deshonor. Y el teniente Rose, un militar por los cuatro costados, no había cometido hecho alguno que implicara deshonor. Por tanto, no creo que buscara la muerte como una forma de escapismo. Por otra parte, siempre había soñado con tomar parte en el combate en primera línea. En la Guerra Civil española las circunstancias quisieron que tuviera que limitarse a las tareas de un instructor. Y en la División Azul desempeñó las de traductor y oficial de información. Pero en la primera ocasión que tuvo de batirse con las armas en la mano, el teniente Rose no lo dudó. Alegando las misiones que le habían sido asignadas, podía haberse quedado a cubierto en el Puesto de Mando regimental, o replegarse a retaguardia. Pero no lo hizo. Al contrario, se lanzó al combate y el fuego enemigo segó su vida. Actuó conforme se esperaba que hiciera un oficial, alemán o español. Su esperanza de tener ocasión de morir vistiendo el uniforme *feldgrau* se hizo trágica realidad.

Sin embargo, dada la tremenda confusión en que se libró el combate, durante los días siguientes hubo no poca confusión a la hora de establecer el número y tipo de las bajas sufridas por la División Azul española. Por ejemplo, en el parte oficial de la batalla firmado por el General Esteban-Infantes nos encontramos con que se califica como muertos a oficiales y soldados que habían caído prisioneros y, en cambio, no se dice ni una palabra sobre oficiales y soldados que habían caído prisioneros o habían resultado heridos.

En este contexto, que la baja de Rose fuera catalogada como "Desaparición" en vez de como "Muerte en Combate" no tiene nada de extraño, se explica perfectamente por haber pasado los últimos momentos de su vida combatiendo junto a una Sección de *Flak* alemana y no junto a españoles y, además, queda justificada por no haberse encontrado el cuerpo, que quedó sobre terreno ocupado por los soviéticos.

La Representación de la División Azul en Madrid anotó en el expediente personal del teniente Rose que este había causado baja el 10 de febrero como desaparecido, "según lista recibida en esta representación el día 26 de febrero". Otra anotación en su ficha, muy poco explícita, reza: "Nota: Oficina Agregado Militar Embajada alemana", lo que quizás signifique que la Representación consideraba oportuno dar parte de esta baja a la Embajada alemana, toda vez que Rose seguía teniendo esa ciudadanía. Y muy poco después, en abril de 1943, esa Representación de la División se dirigía a la Inspección de la Legión para que se le notificara a qué unidad de la Legión Española había pertenecido Rose. La Comisión Liquidadora encargada de tramitar todos los papeles relativos al personal que había servido en Banderas Legionarias ya desactivadas respondió, el mismo mes de abril, que Rose había prestado servicio en la XV Bandera, sin decir palabra sobre su paso por la IV Bandera, añadiendo que carecía de cualquier dato sobre la residencia del teniente Rose. En definitiva, todo indica que por parte de la División Azul se realizaron todos los trámites oportunos en relación con la baja causada por el Teniente Rose.

Aquí debemos recurrir de nuevo a la memoria de César Ibáñez y a los testimonios por él recogidos. Según estos, desde el Cuartel General de la División Azul se dirigieron a la Plana Mayor de Enlace alemana, para comunicar la baja del teniente Rose y preguntar qué hacer con la maleta con sus efectos personales. Fue entonces cuando desde la Plana Mayor de Enlace alemana se respondió que el tema no era de su incumbencia, ya que Rose era judío, afirmando de paso que su desaparición era extraña (¿una forma de sugerir una deserción?)

Así pues, parece que era en la Plana Mayor de Enlace alemana, y no en el Cuartel General de la División Azul, donde Rose tenía algún enemigo. Hoffmann, que conocía a Rose desde España y pertenecía a esa Plana Mayor, podía haber informado al general Schnez sobre este tema, pero ya vimos cómo prefirió desviar su atención hacia unas eventuales malas relaciones de Rose con sus camaradas españoles (poco o nada creíbles, como se ha expuesto).

La noticia de que el teniente Rose había causado baja llegó de alguna manera, aunque con perfiles muy imprecisos, a sus familiares y amigos en Alemania. Además, en su expediente divisionario se incluye una carta remitida por la Cruz Roja alemana "en nombre de sus familiares" preguntando por el paradero de Erich Rose del que se afirma que había resultado "herido grave en las proximidades de Staraia Russa" ([39]).

Pese a los rumores difundidos desde la Plana Mayor de Enlace alemana sobre lo extraño de su desaparición, o las confusas noticias que llegaron a familiares y amigos en Alemania, no hay datos razonables que desmientan la información contenida en la "Relación de Personal Distinguido en los combates del 10 de Febrero", es decir, su muerte en combate. Si Rose, oficial de la División

39 Staraia Russa, al sur del Ilmen, estaba muy lejos de la zona de despliegue de la División Azul.

Azul, hubiese resultado herido grave y se le hubiese evacuado a un hospital militar alemán, en función del azar de los combates, antes o después se le hubiese trasladado a un hospital español. Si Rose hubiera caído prisionero en manos de los soviéticos, su caso habría dejado huella en la más que amplia bibliografía dedicada al tema de los prisioneros de guerra de la División Azul. Y si Rose hubiera desertado al campo soviético, su caso habría sido aireado hasta la saciedad por los historiadores militares soviéticos, cuyos estudios sobre la División Azul se dedican casi exclusivamente a explotar los testimonios obtenidos de prisioneros y desertores ([40]).

No, no hay razón alguna para imaginar que Rose no murió en Krasny Bor, aunque su baja quedara para siempre oficialmente catalogada como "Desaparecido en Combate". Su expediente como miembro de la División Azul termina con la copia de un certificado, expedido en octubre de 1949 por el Ministerio del Ejército español, en el que se declara que el teniente Don Erich Rose Rose fue dado por desaparecido el 10 de febrero de 1943 en Krasny Bor. No consta el nombre de la persona que pidió tal certificación, pero debió ser algún familiar o amigo y, por algún motivo, relacionado con la herencia de la familia ([41]).

---

40 Esta es la tónica imperante en artículos como el de S. P. Pozharskaia, "*Golubaia Divizia*", en "Vosprosy istorii", nº 8 (1969) Cfr. Págs 107-126; o el de Yuri Basistov, "*Un punto de vista soviético sobre la División Azul*", en "Defensa", nº 142 (febrero de 1990). Cfr. Págs. 57-63.

41 En el texto citado de la Dra. Meinl se reproduce en facsímil la respuesta de las autoridades alemanas al tío de Rose, Max Müting, en relación a los bienes confiscados a la familia Rose, un documento fechado en febrero de 1950, lo que demuestra que por esas fechas la familia estaba tratando de poner en orden los papeles y las propiedades de la familia Rose.

En realidad hay un testimonio que nos asegura que se supo de la muerte en combate de Erich Rose. Se trata de un artículo publicado por el divisionario Demetrio Castro Villacañas. Este escritor, poeta y periodista era el director de facto de "La Hoja de Campaña", el semanario editado por la División Azul en Rusia ([42]). Estaba destinado en el Cuartel General de la División y, puesto que el semanario dependía de la Segunda Sección del Estado Mayor, con total seguridad conoció al teniente Rose: la Segunda Sección la componían un puñado de hombres. Poco después de la Batalla de Krasny Bor se le permitió repatriarse, y dado que llevaba en campaña desde julio de 1941, su regreso fue autorizándole a realizar una especie de viaje turístico por Alemania. En Berlín visitó "Enlace. Periódico de los Obreros Españoles en Alemania", editado para la colonia de trabajadores que trabajaba en el III Reich. El periódico dedicaba una atención preferente a la División Azul, así que la redacción le pidió que les escribiera algo sobre el frente. Y el artículo que redactó Castro se llamaba exactamente "Notas de Hermandad. El teniente Rosse" ([43]). Lo que pretendía Castro era exactamente eso, exaltar la hermandad de armas hispano-germana que se estaba labrando en el Frente del Este. No solo no sabía que Rose fuera judío, sino que lo presentaba como encarnación de lo alemán. No solo no había ni el más mínimo atisbo de

---

42 Caballero Jurado, Carlos. *El soldado poeta falangista Demetrio Castro Villacañas*. Ediciones Barbarroja, Madrid 2017.

43 "Enlace. Periódico de los obreros españoles en Alemania". Año II, número 7, pág. 3. Berlín, abril de 1943. El texto completo se puede leer en la obra de Ángel González Pinilla, *La División Azul en el periódico 'Enlace'* (Gutiksland Historical Publishing, Madrid, 2019). Cfr. Pags. 119-120.

recelo hacia él, sino todo lo contrario. Es decir, la falsa versión de Hoffmann de que había atraído hacia sí las suspicacias de los españoles es de nuevo refutada.

Es más, Castro da una versión sorprendentemente detallada de la muerte de Rosse. Pero quizás sea mejor dejar al periodista contar la historia:

> (...) Aquí solo se trata de recoger unas notas sobre un caso de hermandad. Y cómo se lucha nos lo va a decir la acción de un soldado español nacido en Alemania, lleno de amor por España. El teniente Rosse era legionario. Había ingresado hacía mucho en la Legión Española, y comprendía, sentía y amaba el alma de nuestra milicia. Era alemán, había nacido en Alemania y tenía en sus venas razones concretas para amar y comprender el afán de su pueblo.
>
> Por sus conocimientos tácticos y por hablar perfectamente español y alemán, fue destinado a un punto detrás de las líneas de trincheras. El día del ataque salió inmediatamente a cumplir su servicio al lugar álgido de la lucha y cuando los rojos consiguieron romper las líneas, con las armas en la mano, acudió él también a la defensa. Reuniendo a su lado a 14 hombres dispersos de una unidad deshecha, estableció un punto de resistencia que se unió más tarde a unos camaradas alemanes que luchaban defendiendo una pieza antiaérea. Treinta y cuatro hombres constituían en total la fuerza y pronto fueron cercadas por el enemigo. Al mando de ellos estaba el teniente jefe de la pieza y, al morir este, tomó inmediatamente el mando el teniente Rosse (...)
>
> Y al fin el último parte, conciso y lacónico,

> resumía todo el heroísmo y toda la grandeza de quienes nunca se rindieron: "Agotada totalmente la munición, intentamos una salida siguiendo el talud de la vía. Teniente Rosse".
> Blanco de nieve y de asombro, el talud de la vía quedaba abierto a heroísmos sublimes. Por allí caminaron 18 hombres al mando de este teniente, y quizá fue allí donde la última lucha de unos soldados alemanes y españoles dijera a los rojos cómo se labra una verdadera hermandad, como se hacen hermanos dos pueblos que tienen ya en su haber mucha sangre derramada junta, mucha gloria conquistada conjuntamente, y una empresa de afanes totales que cifra sencillamente su ilusión en una acción revolucionaria y redentora, donde el mundo cante himnos de trabajo y victoria, para gloria de Dios y admiración de la Europa nueva que hoy labramos con heroísmo y dolor".

Cuando Rose encontró la muerte en combate en Krasny Bor llevaba ya diecinueve meses de servicio en la División Azul. Para entonces, la mayor parte de los oficiales, suboficiales y soldados que se habían unido a ella en julio de 1941, ya había regresado a España en sucesivos Batallones de Repatriación, siendo relevado por personal que llegaba en los llamados Batallones en Marcha. Rose cumplía todas las condiciones para ser repatriado, y sin duda lo habría sido, caso de haberlo solicitado. Visto lo que estaba sucediendo con su familia, todo el mundo habría comprendido sus razones para deshacerse de su uniforme alemán. Pero no lo hizo. Siguió en campaña, cumpliendo puntual y fielmente sus obligaciones como oficial.

Epílogo

En la II Guerra Mundial murieron decenas de millones de personas. Otras tantas sufrieron atroces padecimientos en forma de heridas y mutilaciones. El caso concreto de este teniente alemán, Erich Rose, al que la circunstancia de tener antepasados de fe judía llevó a tener que servir en las filas de la División Azul, es solo un ejemplo más de los innumerables dramas que aquel conflicto provocó. Extenderse sobre su caso sirve, en primer lugar, para hacernos comprender las dimensiones de aquella tragedia. Demasiado a menudo se habla pura y simplemente de cifras de caídos, prisioneros, heridos, etc.; cifras abstractas, que no poseen la capacidad para evocarnos los sufrimientos que hay detrás de cada uno de esos números. En segundo lugar, el caso del teniente Rose muestra de manera elocuente los absurdos de los que partía la política racista de Hitler y las espantosas consecuencias que de ella se derivaron, y lo hace desde un ángulo que no es el habitual, por lo que su capacidad de denuncia es más grande.

Finalmente, y como conclusión puramente personal, debo señalar que en el teniente Erich Rose Rose he visto ejemplificados tres grandes valores. La Libertad, la Voluntad y el Patriotismo. Así, con mayúsculas. La Libertad, porque, en efecto, él actuó con completa libertad. En una época en que fanáticos armados con conceptos pseudocientíficos trataron de imponerle el hecho de que él era judío, decidió que él era alemán y que deseaba seguir siéndolo a toda costa. Obviamente, no habría nada malo en que hubiera tomado la otra decisión, afirmarse como judío. Pero esa hubiera sido la decisión fácil. A los ojos de los nazis y de los judíos ultraortodoxos, quien es de estirpe judía lo es para siempre, quiera o no. Rose demostró que no era así, y ejerciendo el más alto don de ser humano, su libertad, tomó una decisión propia, no la que se le imponía.

Y no fue fácil. De ahí que el teniente Rose encarne también el valor de la Voluntad. Ya hemos visto a lo largo de este artículo el gran empeño que tuvo que poner de su parte para lograr cumplir lo que era su objetivo: morir como soldado sirviendo a su Patria.

Y, finalmente, está el Patriotismo. Porque si Rose hubiera antepuesto el interés personal al de su Patria, su historia había sido muy distinta. Habría permanecido en España, o regresado a ella cuanto antes desde las filas de la División Azul. Pero, como su padre, el teniente Rose había llegado a la conclusión de que el comunismo era el enemigo número uno de su Patria, y obró en consecuencia.

En esto, Rose fue mucho más clarividente que los líderes nazis alemanes. Estos fijaron para el III Reich un objetivo absurdo, la hegemonía de la raza alemana, y designaron un enemigo, el judaísmo. Debido a esos dos grandes errores, a la hora del combate decisivo, la gran campaña contra el comunismo soviético, Alemania se iba a ver privada del concurso de millones de europeos, quienes no estaban dispuestos a convertirse en ciudadanos de segunda en una Europa germánica. De no haber sido por ese racismo, millones de europeos de todas las nacionalidades, y desde luego la mayor parte de los alemanes de ascendencia judía, se habrían sentido muy cómodos participando en la batalla final para extirpar el comunismo. Pero no fue así. Todos los pueblos de Europa sufrieron lo indecible y Alemania pagó, y muy caro, aquel error. Si en vez de basar su política en peregrinas teorías racistas y antisemitas, Alemania hubiera basado su política en establecer una genuina, y no meramente propagandística, amplia coalición de fuerzas anticomunistas, todo podría haber ocurrido de una manera muy distinta.

Rose pudo comprobar *in situ*, en la martirizada Rusia, los horrores del comunismo. Y ratificarse así en su convicción de que aquella doctrina era el enemigo a batir. No es de extrañar, por tanto, que el teniente Rose se sintiera muy a gusto en las filas de la División Azul. Y no solo porque gracias a ella pudo volver a vestir su guerrera *feldgrau* y lucir sobre ella la Cruz de Hierro, sino porque la unidad expedicionaria española tenía como origen y motor de su existencia la misma idea que él albergaba desde su juventud y que había recibido de su padre: la de que el comunismo era el enemigo más peligroso para el mundo. Fiel a esa convicción, Rose sirvió como un buen soldado. No me refiero a esos pseudohéroes de celuloide que aniquilan enemigos a mansalva, sino a los soldados reales, los de carne y hueso, a los que cumplen silenciosa y abnegadamente su labor, a menudo poco brillante e incluso tediosa, pero que están dispuestos también a entregar su sangre si es necesario, como hizo el teniente de la División Azul Erich Rose Rose.

Durante una parte de la investigación dedicada al teniente Rose sentí que era un hombre zarandeado por fuerzas que lo sobrepasaban. Pero finalmente me convencí de que en realidad lo que me fascinaba de él era que había sabido mantenerse firme como una roca en tiempos de tormenta. No era una víctima de unas terribles circunstancias, sino alguien que desafiaba al destino y afirmaba su personalidad. Por eso creo sincera y profundamente que la historia de aquel hombre desaparecido merecía ser rescatada del olvido para las nuevas generaciones. Es una más de las millones de muertes ocasionadas por la II Guerra Mundial, pero contiene una enseñanza muy importante: no se es una Víctima cuando se es un Héroe. Descanse en paz un valiente hombre de honor.

ÍNDICE